W9-DDU-217

MOOD FOOD

LA COCINA DE LA FELICIDAD

MIGUEL ÁNGEL ALMODÓVAR

OBERON

Diseño de cubierta y maqueta
CELIA ANTÓN SANTOS

Primera edición, noviembre 2012
Segunda edición, mayo 2013

© Copyright de los textos: Miguel Ángel Almodóvar.

© Copyright de los textos del prólogo: Luis Cepeda.

© Copyright de las fotografías: © 2003-2011 Shutterstock Images LLC.

Créditos de las fotografías de las recetas:

© Felix Soriano, páginas: 174-175, 177 y 179

© Miguel Ángel Almodóvar, páginas: 46, 51, 53, 55, 56, 61, 63, 65, 66, 71, 73, 75, 86, 91, 93, 95, 96, 102-103, 106-107, 109, 110, 115, 117, 119, 120, 125, 127, 129, 148, 153, 155, 157, 158, 163, 165, 167, 168, 174-175, 177, 179, 200, 205, 206-207, 209, 210, 215, 217 y 219

© Rafael de Luis Casademunt, páginas: 76, 81, 83 y 85.

© Lars ter Meulen, páginas: 180, 185, 187 y 189.

© Juan Minondo, páginas: 190, 195, 197 y 199.

© Javier Peñas, páginas: 130, 137, 143, 146-147.

© EDICIONES ANAYA MULTIMEDIA (GRUPO ANAYA, S.A.), 2013
Juan Ignacio Luca de Tena, 15. 28027 Madrid
Depósito legal: M-34178-2012
ISBN: 978-84-415-3273-1
Printed in Spain

*Para Ana Mediavilla y Paco Patón, que tanto me ayudaron en esta tarea,
y para las tres cosas que me tienen preso de amores el corazón:
Fran, Nini y berenjenas con queso.*

ÍNDICE DE CONTENIDOS

PRÓLOGO.
EL SABOR FELIZ
Y LOS OFICIOS DE BOCA

Proporcionar felicidad al prójimo debe ser el propósito esencial de algunas tareas, pero ninguna, como la de cocinar, lo refleja de manera tan palmaria e inmediata. Quien cocina se impone de algún modo la tarea de hacer feliz al prójimo. Hay una especie de misión generosa o de compromiso puro con el bienestar ajeno en toda actividad culinaria, ya sea doméstica, profesional o aficionada. El placer del comensal, es decir, esa felicidad ocasional de cuerpo y ánimo que te invade al percibir la plenitud gastronómica, es, por encima de cualquier convencionalismo, el objetivo mayor de un cocinero que se precie de serlo. Tan es así que su altruismo alcanza algún grado de egolatría —pecado venial del experto y del diletante, consecuente con tamaña función— que suele ser proclive a interrogarte con impaciencia sobre la dimensión de su acierto. La verdad es que al cocinero no le importa tanto que goces con sus elaboraciones, sino saber que gozas. No aplaude tu paladar, sino su perspicacia y tino. Saberse acertado le gratifica por entero y no deja de evidenciar lo mucho que le interesa hacerte feliz.

La gastronomía, pese a su nomenclatura prosaica, es el territorio donde desemboca el gusto y sus sensaciones. Es la erótica del comer por placer, casi lo contrario del comer por supervivencia. De las dos funciones primordiales del género humano —la de reproducirse y la de alimentarse—, la segunda es la indispensable y si el erotismo se pone al servicio de la primera para estimularla, la dimensión gourmet de la gastronomía complace la función alimenticia y la convierte en vía de felicidad. Casi todos los esfuerzos de la civilización consisten en convertir las necesidades en placer y, por validar la teoría, cabe mencionar a Voltaire en una de las raras ocasiones en que se sintió creyente: "*Nada sería tan aburrido como comer y beber si Dios no lo hubiese convertido en placer además de en necesidad*".

Las conquistas del sabor se han ido sucediendo a lo largo de la historia y pasaron de lo crudo a lo cocido, como primera providencia, a hitos culinarios afines a la conservación, con los salazones, escabeches y cebiches o conservas, a la refrigeración, las placas, las ollas a presión, el vacío culinario y el inmenso campo de las nuevas tecnologías, una prosperidad incesante al servicio del gusto. Los tratados culinarios han venido explicando esa evolución, trufada del talento de sus artífices, reconocidos o anónimos, pero empeñados en la función de hacernos disfrutar. En los últimos tiempos la actividad culinaria enmarca doctrinas donde la dietética y la investigación científica hallan conexiones que explican la espontaneidad mágica del comer por gusto. La dieta mediterránea, actitud alimenticia intuitiva de una región geográfica, verificada por científicos norteamericanos, emprendió un quehacer al que se suman avances informativos rigurosos que razonan la comida y contribuyen a que disfrutamos más de lo que comemos.

Miguel Ángel Almodóvar, autor comprometido con la investigación científica y el gozo vital, ha decidido abordar el ancho y afilado universo de la complacencia gastronómica, transitando de la emoción y la erudición. Nos enseñan que la felicidad del comer se nutre de sustancias y elementos nutricionales, de neurotransmisores que se activan con determinados alimentos. Los ha recopilado y explicado por su función placentera y los ha puesto al servicio de 16 cocineros, apóstoles conscientes de su misión de llevar la felicidad al plato.

Admiro la capacidad de aproximar la ciencia al arte, esa tentación constante del científico y, desde la visión del cronista gastronómico, la ocasión me predispone a invertir la tendencia y plasmar una hipótesis, una pizca científica, que acaso contribuya dar sentido a nuestra tarea de comer y contarlo.

La antropología —que es disciplina relativamente reciente—, descubre (o, mejor, constata), cómo el mecanismo humano y la mayoría de los sentidos se comportan inconscientemente. Está claro que la conciencia de los sentidos la proporciona el cerebro, del mismo modo que el respirar se genera en el sistema nervioso autónomo. Pero se respira innatamente. Podemos ver, oler, oír y tocar, a voluntad, pero en la mayoría de las ocasiones tocamos, oímos, olemos y vemos inconscientemente, sin aplicarnos a ello.

Nos comunicamos con el exterior, sobre todo, a través de los orificios de la cabeza y sus percepciones, pero entre ellos, sólo la boca se comporta siempre plena de voluntad. Todos los sentidos son pasivos, menos el gusto. Todos pueden comportarse volitivamente, pero también desactivarse sin dejar de acumular información. El gusto es el único de los sentidos obligado a ser consciente.

El habla —atributo y creación exclusiva del hombre—, también. De todas las funciones de relación externa, comer es la más reflexiva. Hablar, —y quien dice hablar, dice escribir—, la más civilizada.

Mood food o la comida de la felicidad es toda una prueba de ello.

Luis Cepeda

LA COMIDA
DE LA FELICIDAD, EL
PLACER Y EL BUEN HUMOR

Desde la más remota antigüedad se intuyó que determinados alimentos no sólo proporcionaban vigor físico, sino que intervenían en otros procesos relacionados con la paz del espíritu, el mayor rendimiento intelectual o la alegría de vivir. En algunos casos, como pudieran ser por ejemplo las virtudes afrodisíacas de la berenjena o la mejora del potencial memorístico de los rabos de pasa, se trataba de falsas creencias sin el menor fundamento, pero en otros muchos, como el freno a la irritabilidad que se conseguía comiendo lechuga o el amortiguamiento del dolor y el cansancio que se derivaba de la ingesta de chiles americanos, la intuición ha sido ampliamente corroborada a la luz de la ciencia.

Fue a mediados de los años ochenta del pasado siglo y tras muchos años de investigación, cuando los científicos del *Instituto Tecnológico de Massachussets* (MIT) estuvieron en condiciones de afirmar con total certidumbre que los nutrientes, hidratos, vitaminas, minerales o ácidos grasos de los alimentos que se consumen afectan directamente al proceso cerebral de pensar, de percibir y de sentir, y que un trozo de pastel puede ser mejor medicina para el alma que cualquier fármaco de síntesis.

Para decirlo en "román" más paladino, en 1984 Rowland Stiteler, escribía lo siguiente: *"Los científicos están ahora sugiriendo "curas" tales como un puñado de galletas para el insomnio o un buen plato de tallarines para la depresión. Los trabajos realizados hasta la fecha indican que se puede luchar contra muchos de los síntomas y signos de la senilidad, o mejorar la memoria y otras funciones de nuestro cerebro sólo con la calidad de los alimentos que ingerimos".*

Alimentarse correctamente y proporcionar al organismo nutrientes de calidad y en las cantidades necesarias, es fundamental para crecer y reproducir la vida, para no enfermar y conseguir el vigor necesario, para afrontar los retos cotidianos y satisfacer la demanda de energía física, pero a la vez es vital para mantener un buen estado de ánimo, controlar la ansiedad y el estrés, evitar la melancolía y alejar el peligro de la depresión. Por otra parte, lograr un elevado nivel de satisfacción vital, con ser importantísimo, no es solo un objetivo en sí mismo, sino la mejor forma de mantener en alerta y en buena forma el sistema inmunitario, lo que redunda en un menor riesgo de contraer enfermedades.

"MOOD FOOD" O COMIDA DEL BUEN HUMOR

Aunque la influencia de ciertos alimentos en el estado de ánimo es un hecho científicamente contrastado desde hace tiempo, no hace más de un lustro que se ha puesto de moda el *mood food*, algo que más o menos podría traducirse como comida o alimento de buen humor, y que incluye un conjunto de alimentos o productos elaborados con nutrientes y sustancias que inducen un mejor estado de ánimo.

En 2004 apareció en Japón una bebida láctea con gas envasada en una botella clasificada del 1 al 10 para que el consumidor marcara su índice de felicidad al beberla. Un año después, en 2005, salió al mercado el primer producto con sello *mood food*, un chocolate enriquecido con ácido gamma-amino-butírico, un ácido presente en las plantas y que en 1950 se descubrió que también estaba presente en el tejido cerebral humano especialmente en el cerebelo, actuando como neurotransmisor inhibitorio que ayuda a la recuperación muscular, induce el sueño, es tranquilizante y antiansiedad. El producto arrasó en el mercado asiático y esto hizo saltar la chispa en los departamentos de marketing de la industria agroalimentaria y muy especialmente en las grandes firmas de alimentación, que empezaron a invertir en investigación sobre preparados *mood food*.

Sin embargo, desde entonces hasta hoy el número de productos con similar etiquetado son muy escasos y ello es debido a que la legislación occidental es mucho más estricta y exige pruebas científicas de suficiente peso antes de otorgar su autorización. Por esta razón, cada año, la *European Food Safety Authority* (EFSA) rechaza de manera sistemática multitud de solicitudes en este sentido.

Pero los alimentos que contienen sustancias que estimulan el buen humor, controlan el estrés o elevan la moral, aunque no son ni podrían ser objeto de patente, siguen estando ahí y son precisamente los grandes protagonistas de este libro.

En el plano académico, probablemente la más interesante aportación a este concepto haya sido la de Susan Kleiner, fundadora de la Sociedad Internacional de Nutrición Deportiva y miembro del Colegio Norteamericano de Nutrición. Especialista de larga trayectoria en el ámbito de la nutrición para deportistas de alto rendimiento, sus investigaciones y experiencias directas le han llevado a la redacción de un libro, *The Good Mood Diet*, en el que demuestra de forma concluyente que la nutrición no sólo mejorara los aportes energéticos de los atletas, sino que puede favorecer de forma decisiva su mejor estado de ánimo, contribuyendo así a mejorar sus rendimientos deportivos y a la realización de metas o marcas.

EL BUEN HUMOR Y LA SALUD

Estar de buen humor no sólo es agradable en sí mismo, sino que además favorece la capacidad de pensar de manera más flexible y con una mayor complejidad, disponiendo a la mente de manera favorable para encontrar soluciones a los problemas o a resituarlos en su verdadera dimensión.

Distintos estudios científicos han probado experimentalmente que las personas optimistas y que están de buen humor durante tiempos razonables afrontan los cambios como desafíos y no como catástrofes, al tiempo que sienten que ejercen un mayor control sobre sus propias vidas.

Además, el buen humor fomenta la creatividad y la capacidad de aprendizaje, ayuda a superar el estrés y previene accidentes cardiovasculares.

Por último, pero quizás lo más importante, el buen humor favorece el buen funcionamiento del sistema inmunológico y facilita la respuesta inmunitaria para atacar eficazmente a los agentes patógenos y sustancias que invaden el organismo y provocan enfermedades. La relación entre humor e inmunidad se ha intuido desde muy antiguo, pero hoy se sabe científicamente que ese estado hace que el cerebro segregue endorfinas opiáceas que producen confort y sensaciones placenteras, al tiempo que reducen el dolor.

LA CLAVE ESTÁ EN LOS NEUROTRANSMISORES

Las investigaciones respecto a la forma en la que los alimentos afectan a la química cerebral se centró desde el principio en la producción y activación de los neurotransmisores químicos, directamente involucrados en la conducción y transmisión de los impulsos nerviosos dentro del cerebro, que es la forma por la que la mente ordena las funciones del organismo, evoca recuerdos, procesa información y deriva sensaciones psicológicas de bienestar, placer, alegría, tristeza o abatimiento.

Buena parte de las investigaciones en laboratorio se empezaron a centrar en un aminoácido esencial, el triptófano, y ya a comienzos de los años setenta los científicos del MIT, John Wurtmann y John Femstrom descubrieron que al inyectarle triptófano puro a las ratas, en sus cerebros se producía un sustancial incremento de un neurotransmisor llamado serotonina,

sustancia que incrementaba los niveles de tolerancia al dolor, reducía la irritabilidad y mejoraba la cantidad y calidad del sueño. Los siguientes experimentos incluyeron a humanos y cruzando los datos de estos con los obtenidos en ratas, se concluyó que era perfectamente factible correlacionar y medir el incremento de triptófano en el torrente circulatorio en función de la cantidad y diversidad de los alimentos que se incluían en la dieta cotidiana.

Básicamente, los estados de infelicidad, felicidad, tristeza, melancolía, depresión, positividad o euforia, dependen de la activación o desactivación de un grupo de sustancias químicas que actúan en el cerebro, y más específicamente en las conexiones neuronales como excitantes, o como inhibidoras. Así, la adrenalina, la noradrenalina y la serotonina son del tipo excitante, mientras que la dopamina y la feniltilamina, se sitúan en el grupo del tipo inhibidor.

Por otra parte, que estas sustancias se mantengan en tensión positiva, se activen en un determinado momento o se mantengan latentes, depende de la acción de un grupo de nutrientes, principios activos, vitaminas y minerales, cuya mecánica de acción y los alimentos que los contienen conviene conocer para obtener el máximo rendimiento en el proyecto de buscar combinaciones orientadas hacia la placer, el sosiego, la autoestima, el buen humor y todo aquello que forma el difuso deseo de ser feliz.

NEUTRANSMISORES
EN POSITIVO

Endorfinas

También llamadas encefalinas, son neurotransmisores conocidos como opioides debido a que producen los mismos o muy similares efectos que los analgésicos derivados del opio. Estos neurotransmisores los produce el sistema nervioso central de forma endógena y ayudan a regular los estados de ánimo, los patrones de sueño, las respuestas del organismo al dolor o al estrés, al tiempo que intervienen en la regulación de la temperatura corporal, la sensación de apetito y saciedad, y las funciones reproductivas, entre otras.

En general, el sistema nervioso libera endorfinas ante situación anímicas, como toda suerte de emociones, el enamoramiento, la risa, el llanto, el miedo, la ansiedad, las sensaciones de riesgo o la relación sexual, pero también cuando se realiza una actividad física fuerte y prolongada, o, lo que aquí es más sustancial, cuando se toman alimentos picantes, debido a la acción de una sustancia llamada capsaicina.

Dopamina

Relacionada con las emociones y los sentimientos de placer, es una hormona que actúa como neurotrasmisor y que el organismo sintetiza a partir de un aminoácido, la tiroxina, que se suele encontrar en alimentos ricos en yodo, como el marisco, el bacalao y la caballa, sí como en el ajo, el salvado de avena, la avellana, las fresas, las lentejas, el tomate, y la piña. Se asocia con el sistema del placer del cerebro (es la hormona que se segrega durante el clímax sexual y en el inicio del consumo de ciertas drogas), proporcionando sentimientos de gozo, y mejorando la cognición, el humor, la motivación y el refuerzo necesario para realizar ciertas actividades. Uno de sus más relevantes efectos es que está ligada a sensaciones positivas que revierten la inseguridad o la timidez, y en justo en este punto investigadores de

la Clínica Universitaria Charité de Berlín publicaron en 2008 un estudio en *Nature Neuroscience* en el que ponían de manifiesto que la concentración de dopamina en la amígdala cerebral definía personalidades de tranquilidad y confianza, frente a otras caracterizadas por el miedo y la tendencia a sufrir estrés.

La dopamina también es muy importante en el proceso de control de la duración de la memoria, una facultad que hace que el individuo se sienta mejor consigo mismo, más seguro y en esencia más feliz. En 2009, los científicos brasileños Janine Rossato y Lía Bevilaqua, junto al argentino-brasileño Iván Izquierdo, y los argentinos Jorge Medina y Martín Cammarota, descubrieron y publicaron en la revista *Science* que la dopamina activa señales celulares en el hipocampo cerebral, que junto a otras regiones del sistema nervioso se encarga de la formación de memorias en las primeras horas que siguen a un aprendizaje o a la vivencia de una experiencia, de manera que controla el mecanismo que determina si un recuerdo durará pocas horas, semanas o años.

Por último, científicos de la Universidad de Barcelona y del Centro de Investigación Biomédica en Red de Enfermedades Degenerativas (CIBERNED), han descubierto que esta hormona también tiene un destacado papel, junto a la noradrenalina, en la regulación y calidad del sueño.

Noradrenalina

Un neurotransmisor de la misma familia que la dopamina, se sintetiza en la médula adrenal y actúa aumentando la presión arterial sin afectar al gasto cardiaco, tiene que ver con los impulsos de ira y el placer sexual, siendo capaz de alejar la depresión, estimular la energía y mejorar el estado general, generando optimismo. Sus usos médicos más comunes son el tratamiento del trastorno por déficit de atención e hiperactividad, la depresión y la hipotensión. Se encuentra en alimentos como las espinacas, el chocolate y la piña.

NEUROTRANSMISORES A VIGILAR Y BALANCEAR

Catecolaminas

También llamadas aminohormonas, son neurotransmisores que se vierten en el torrente sanguíneo y son responsables del estado de alerta y tensión producido bajo ciertas situaciones o condiciones, y entre ellas se incluyen la adrenalina, la noradrenalina y la dopamina, todas ellas sintetizadas a partir del aminoácido tiroxina.

Así, los estados de nerviosismo o alteración emocional, el estrés incontrolado y la tendencia a la obesidad tienen más posibilidades de hacerse presentes cuando la dieta es rica en alimentos muy proteicos y reducida en hidratos de carbono complejos que estimulan la producción de serotonina, responsable de la saciedad y el bienestar. Dentro de este grupo destaca la **norepifedrina** o **noradrenalina**, una catecolamina con múltiples funciones fisiológicas y homeostáticas que puede actuar como hormona y como neurotransmisor. Se trata de un estimulante cerebral que produce excitación, lo cual puede ser un buen remedio para estados de abulia o spleen, pero en general está asociada a estados de estrés descontrolado y nerviosismo que conviene controlar evitando los alimentos que, al ser ricos en tiramina, ponen en marcha sus mecanismos de acción, como el té, el café, las bebidas alcohólicas destiladas, los refrescos con cola, las carnes rojas, o los quesos muy curados.

LAS SIETE BASES NUTRICIONALES DE LA IRRITABILIDAD Y EL MAL HUMOR

Los cambios en el humor y el estado general de ánimo se producen básicamente por siete razones: descenso del nivel de azúcar en sangre; aumento del ácido láctico o síndrome de ansiedad debido a la ingesta de leche; trastornos y disfunciones hepáticas; debilitación del sistema inmunológico; intolerancias o alergias a determinados alimentos; estreñiminto y dietas extremas o monodietas.

DESCENSO DE LOS NIVELES DE GLUCOSA EN SANGRE

Los bajos niveles de azúcar o glucosa en sangre, así como las fluctuaciones bruscas o "picos" de esos mismos niveles, suelen producir ansiedad y cambios súbitos de humor. La razón de esta circunstancia hay que buscarla en el papel de la glucosa como transportador de alimento a los órganos y, entre éstos, por supuesto, al cerebro. Cuando los niveles de glucosa en sangre descienden, los primeros efectos se notan en el cerebro y en el sistema nervioso, lo que inmediatamente conlleva un cambio negativo en las acciones, actitudes y sentimientos, con síntomas como ansiedad, fatiga mental, irritabilidad, depresión, nerviosismo y cambios injustificados de humor. En paralelo, cuando la glucosa fluye con dificultad al cerebro éste empieza a funcionar de manera confusa, se reduce la capacidad de concentración y aparecen problemas para recordar hechos recientes, todo lo cual refuerza el mal humor de quien padece estos efectos.

Los alimentos que bajan los niveles de glucosa en sangre y debilitan los mecanismos de control causando un indeseable estrés en el eje pancreático-suprarrenal son los hidratos de carbono simples, las harinas refinadas y los azúcares de productos como la bollería industrial, los pasteles, los refrescos, las galletas, los bombones, los caramelos o las chuches.

INCREMENTO DEL ÁCIDO LÁCTICO

Cuando escuchan "ácido láctico", la mayoría de los atletas o deportistas habituales inmediatamente piensan en la posibilidad de que aparezca un desgarro, una contractura o un brutal y prematuro agotamiento, pero en realidad de lo que se trata es de un proceso fisiológico normal y controlable.

El acido láctico o lactato es un subproducto que aparece en el organismo cuando se desarrolla una intensa actividad física y todo empieza en el proceso que el hígado realiza convirtiendo los hidratos de carbono, la sacarosa y la fructosa en glucosa, que a su vez se transforma en ácido pirúvico y éste en energía. Cuando el organismo se ve afectado por una deficiencia de vitaminas del grupo B, el ácido pirúvico se transforma en lactosa en proporciones en las que el ácido láctico se vuelca en el torrente sanguíneo, produciendo un estado de ansiedad que se traduce en síntomas como fatiga, confusión, temblores, miedo e irritabilidad. Para evitar todo este indeseable proceso que deviene en mal humor y descontrol afectivo sólo es necesario aportar al organismo la suficiente cantidad de vitaminas de grupo B que pueden encontrarse en alimentos como carne magra de cerdo, salvado de avena, jamón serrano, pistachos, judías blancas, avellanas, sardinas, salmón, nueces, lentejas, garbanzos, espinacas, levadura de cerveza, hígado de vaca o de pollo, germen de trigo, riñones de cordero, pechuga de pollo sin piel, o huevos.

MAL FUNCIONAMIENTO DEL HÍGADO Y DISFUNCIONES HEPÁTICAS

El hígado representa un papel de extraordinario protagonismo en la correcta asimilación de los nutrientes, en la expulsión de los desperdicios tóxicos y en el proceso de conversión de la glucosa, que almacena en forma de glicógeno. Cuando los sistemas enzimáticos del hígado se ven alterados por el aumento de los niveles de estrés o el consumo excesivo del alcohol (sobre todo de destilados), de alimentos inadecuados o de drogas, los altos niveles de lactosa se mantienen en el torrente sanguíneo provocando frustración, angustia, irritabilidad y mal humor.

Para desintoxicar el hígado y poner en orden sus funciones hay que reducir o suprimir carnes grasas, embutidos, preparados fritos, patés, mantequilla, azúcar, café y té, e incorporar a la dieta alcachofas, uno de los mejores tónicos y depurativos hepáticos; alimentos ricos en vitamina C, como pimientos, cítricos, fresas, kiwi, y verduras de hoja verde; abundantes en vitamina B12, como hígado de ternera, carne magra de pollo, levadura de cerveza, algas marinas y cereales enriquecidos con esta vitamina; y generosos en folatos o vitamina B9, como brécol, coles de Bruselas, coliflor, lentejas, garbanzos, berros y espinacas.

PROBLEMAS INMUNOLÓGICOS

El sistema inmunológico tiene la función de proteger al organismo de infecciones y otras agresiones externas, pero cuando está debilitado o con una considerable cantidad de estrés oxidante, además de dejar al cuerpo indefenso ante enfermedades, se produce un radical y negativo cambio en el humor.

Para reforzar y mantener en forma el sistema inmunológico hay que tomar regularmente lácteos fermentados como yogur o kéfir; alimentos ricos en vitamina C, como pimientos, verduras de hoja verde, cítricos, kiwi, piña, caqui, y fresas; abundantes en vitamina E, como aceite de oliva virgen, aceite de germen de trigo, pan, arroz y pastas integrales, y frutos secos; ricos en vitamina A, tales como hígado de ternera, huevos, pimiento rojo, zanahorias, calabaza, albaricoques, cerezas y melocotón; abundantes en vitaminas del grupo B; ricos en hierro, como hígado de ternera, berberechos, mejillones o albaricoques secos; en zinc, como ostras, salmón, pipas de calabaza, chocolate negro y ajo; y abundantes en selenio, como marisco, cereales, huevos, frutas y verduras.

ESTREÑIMIENTO

Esta anomalía, que consiste en no ir al baño a evacuar de forma regular, desgraciadamente tan común y que en el 95% de los casos es debida a la mala alimentación, el sedentarismo, y la falta de líquidos, afecta a una de cada cinco mujeres mayores de veinticinco años y a uno de cada diez hombres. Cuando el organismo no consigue eliminar con regularidad sus toxinas, se producen problemas de distinta consideración como meteorismo, halitosis, alteraciones en la piel, fisuras y hemorroides, riesgo de desarrollar alguna enfermedad del colon entre las que cabe incluir el cáncer, pero también y en lo que aquí afecta, cefaleas, irritabilidad y permanente mal humor.

La solución al estreñimiento es practicar ejercicio moderado de forma regular, incorporar abundante fibra a la dieta (cereales, legumbres, hortalizas verdes, ciruelas, kiwis, cebollas, patatas, almendras, nueces, maíz...), que cumple la función de absorber gran cantidad de agua del intestino delgado, con lo cual aumenta el volumen de las heces y produce el reflejo defectario, reducir el consumo de productos como arroz, queso, chocolates, carnes rojas asadas, té, canela o pan tostado, y beber un gran vaso de agua por la mañana, antes del desayuno, y antes de las comidas, para estimular, "despertar" y activar el colon.

ALERGIAS E INTOLERANCIAS A ALGUNOS ALIMENTOS

Las alergias e intolerancias alimentarias dan lugar a problemas como bronquitis, infecciones crónicas en los oídos, y disfunciones digestivas agudas, alteraciones que tienen un impacto muy negativo en el estado de ánimo y son responsables de estados de ansiedad, turbulencia, depresión y mal humor.

HACER UNA DIETA ESTRICTA O MONODIETA

Las dietas hipocalóricas mal concebidas, que restringen o eliminan los hidratos de carbono del menú cotidiano, así como las monodietas, basadas en el consumo de casi un solo alimento, son una de las grandes fuentes y motivos de mal humor. Por otra parte y como es sabido, casi todas estas dietas drásticas o dietas milagro están orientadas a bajar peso en agua y masa muscular, dejando intacto el volumen y cantidad de grasas. Ante la báscula son muy agradecidas y confortantes porque el músculo pesa mucho más que la grasa, pero a medio o largo plazo el peso perdido no sólo se recupera, sino que se añaden algunos kilos más al peso habitual con lo que al tomar conciencia de que lo único que se ha perdido es tiempo y dinero, el mal humor y la irritabilidad se cronifican.

En este punto son especialmente peligrosas las dietas hiperproteicas que eclosionaron a principios de los años setenta del pasado siglo de la mano del cardiólogo estadounidense Robert C. Atkins, y que han vuelto a hacer fortuna popular con los postulados del médico francés Pierre Dukan. De lo que se trata en suma es de incrementar el metabolismo celular obligando al organismo a obtener energía de los alimentos ricos en proteínas, en lugar de hacerlo a partir de los hidratos de carbono, lo que conlleva un gran sobreesfuerzo para el sistema hepático y renal, con las previsibles indeseables consecuencias para el humor y la salud en general.

NUTRIENTES Y PRINCIPIOS ACTIVOS QUE PROMUEVEN FELICIDAD Y BUEN HUMOR

TRIPTÓFANO

Se trata de un aminoácido esencial; es decir que solo se consigue por medio de la alimentación, y su función consiste en promover la liberación del neurotransmisor serotonina, directamente involucrado en la regulación del sueño, el bienestar psicológico, y el placer.

Respecto a su efectividad existen pocas o nulas dudas y entre otros muchos experimentos realizados a lo largo de décadas, llama especialmente la atención el llevado a cabo en el MIT en los años ochenta del pasado siglo, cuando se sometió a un grupo de voluntarios a dolores ligeros provocados por la acción de pequeñas bombillas de 100 watios aplicadas en sus brazos. A los distintos grupos se les pidió que evaluaran el nivel de dolor en distintas intensidades de calor, y los voluntarios que habían recibido dosis de triptófano demostraron una tolerancia al calor y el dolor muy superior a aquellos a los que se no se les había suministrado el aminoácido o habían recibido placebo. En otro experimento, realizado también en el seno del MIT, se sometió a un colectivo de estudiantes a una serie de pruebas psicológicas antes y después de administrarles triptófano, comprobándose que tras la ingesta del aminoácido descendían significativamente los niveles de estrés y aumentaba el estado de relajación general.

En la misma línea y en otro experimento llevado a cabo en la Universidad de Temple, Filadelfia, EEUU, realizado con una muestra poblacional de personas que padecían dolor facial crónico, se les administró una dieta rica en hidratos de carbono y pobre en grasas. Sobre esta base, el grupo se dividió en dos subgrupos administrándoles triptófano a uno y placebo al otro. El resultado final de la prueba puso en evidencia que todos registraron un descenso en el nivel de dolor, siendo este, sin embargo, sustancialmente más acusado en el grupo que había recibido hidratos y triptófano.

Para la adecuada metabolización del triptófano es preciso mantener unos correctos niveles de magnesio y vitamina B6, pero, además, la llegada la cerebro no es un camino exento de dificultades y riesgos, porque, como hace tiempo demostraron investigadores del Departamento de Nutrición del MIT, en ese recorrido debe competir con otros aminoácidos circulantes en sangre, que en el caso de las proteínas animales, especialmente de la carne, el pescado y los huevos, que, paradójicamente, también contienen triptófano, bloquean la entrada de éste al cerebro. Por el contrario, cuando se consumen hidratos de carbono el organismo produce insulina, que frena la acción negativa de otros aminoácidos y abre la puerta de entrada al cerebro de triptófano. Esto rompería con el mito de que para conciliar el sueño resulta ideal tomarse un vaso de leche tibia antes de acostarse, ya que su alto contendido proteico y en consecuencia de aminoácidos, dificultaría la llegada rápida del triptófano al cerebro, por lo que en pos de esta meta resultaría más efectivo tomarse algunas galletas o un zumo de fruta, más ricos en hidratos de carbono.

Así pues, parece probado que la efectividad del triptófano, su más rápida asimilación y la disminución del tiempo de llegada de este al cerebro para poner en funcionamiento los mecanismos de liberación de serotonina, dependen en gran parte de la presencia de hidratos de carbono en la dieta, así como de la ingesta en paralelo de alimentos ricos en magnesio y en vitamina B6.

El triptófano está presente en la carne de pollo y de pavo, huevos, leche de vaca, cereales integrales, el chocolate, salvado de avena, plátanos, dátiles, semillas de sésamo, garbanzos, pipas de girasol y calabaza, calabaza y alga espirulina.

TEOBROMINA

Se trata de un alcaloide de la misma familia que la teofilina y la cafeína, que básicamente se encuentra en las semillas de la planta del cacao. Estimula en sistema nervioso central, produce broncodilatación y diversos efectos cardiovasculares, es antiestresante y favorece la producción de serotonina. El único alimento que la contiene, a excepción del guaraná, es el chocolate, pero en cantidades que varían sustancialmente dependiendo del tipo, ya que mientras 30 gramos de chocolate negro contiene 450 miligramos, la misma cantidad de chocolate con leche tiene diez veces menos.

FENILALANINA

Es un aminoácido esencial con gran influencia en la producción de un neurotransmisor, norepifedrina, que eleva el ánimo y el tono que se reduce como consecuencia del estrés de las glándulas suprarrenales, que favorece los estados de ánimo positivos, y que reduce la velocidad de descomposición de las endorfinas, lo que redunda en un alivio del dolor y en la prolongación del buen humor. Está presente en alimentos tales como almendras, aguacate, legumbres, perejil, piña y espinacas.

TIROSINA

Otro aminoácido que representa un papel de singular protagonismo para prevenir o atajar estados depresivos, debido a que apoya el trabajo de las glándulas suprarrenales, estimula el tiroides, contribuye a estabilizar los niveles de azúcar en sangre y facilita la transformación de la vitamina B3, la vitamina C y el ácido fólico en neurotransmisores como la dopamina y la norepinefedrina. Alimentos generosos en tirosina son almendras, manzanas, espárragos, aguacates y zanahorias.

VITAMINAS DEL GRUPO B

Como quiera que las deficiencias de vitaminas del grupo B favorecen los estados de irritabilidad, y que alguna, como la B6, es imprescindible para la correcta metabolización del triptófano, conviene incorporar a la dieta alimentos ricos en ellas.

Concretamente, la B1 o tiamina interviene en la transformación de los alimentos en energía, por lo que su ingesta es fundamental para evitar estados de decaimiento y desánimo. Además, representa un papel protagonista en la absorción de glucosa por parte del sistema nervioso, del que obviamente forma parte el cerebro. Por ello, su deficiencia, además de falta de coordinación motora y hormigueo en las extremidades, puede ocasionar síntomas como irritabilidad, ansiedad, cansancio intelectual, aumento de sensibilidad al ruido y otros estímulos de dolor, depresión y descenso de las habilidades mentales. Los alimentos más ricos en B1 son, por este orden, la carne magra de cerdo, el salvado de avena, el lomo embuchado, el jamón serrano, los pistachos, las judías blancas, y las avellanas.

Por lo que se refiere a la B6 o piridoxina, además de, como se ha dicho, favorecer la correcta asimilación del triptófano, interviene en la transformación en energía de los hidratos de carbono y las grasas de la dieta, mejora la circulación general, y mantiene el sistema nervioso en buen estado. Su déficit, puede ocasionar depresión, confusión, problemas de memoria y cambios súbitos de humor. En 1977, el matrimonio de psiquiatras norteamericanos Barbara&Gideon Reaman publicaron el libro *Women and the Crisis in Sex Hormones*, en el que, como resultado de años de investigación, ponían en evidencia que la toma regular de anticonceptivos puede ocasionar importantes déficits de vitamina B6, acarreando estados de ansiedad y depresión, por lo que este grupo concreto de población, en general mujeres jóvenes, debiera tener muy presente la incorporación regular de esta vitamina a su dieta. Los alimentos que aportan mayor cantidad de B6, son, sardinas, salmón, nueces, lentejas, lenguado, garbanzos, judías blancas, pimentón, alitas de pollo, cereales de desayuno con base de arroz y trigo integrales más frutas rojas, y espinacas congeladas.

La vitamina B9 o ácido fólico también es útil para mejorar el estado general de ánimo y evitar la depresión, ya que es capaz de aumentar los niveles de serotonina cerebral. Por otra parte, distintos estudios han demostrado que entre el 15% y el 38% de las personas con depresión tienen un bajo nivel de B9 y que esos mismos bajos niveles afectan negativamente a la respuesta ante tratamientos con antidepresivos de síntesis química. De forma natural se puede encontrar en la levadura de cerveza, el hígado de vaca o de pollo, el alga Agar desecada, el germen de trigo, las habas secas, los garbanzos, las espinacas, y las judías pintas y blancas.

Finalmente, y dentro de este grupo, la vitamina B12 es necesaria para la transformación de los ácidos grasos en energía, ayuda a mantener al reserva energética en los músculos, participa en la síntesis de los neurotransmisores, y conserva en buen estado la mielina, vaina que protege los nervios y los axones de las neuronas, permitiendo una eficaz transmisión de los impulsos nerviosos. Las principales fuentes de B12 son el hígado de vaca o de cerdo, los riñones de cordero, la pechuga de pollo sin piel, los huevos, el salmón y las almejas.

VITAMINA C

Coloquialmente se la denomina vitamina del buen humor porque es esencial para la correcta asimilación del hierro y para la síntesis de la carnitina, directamente implicada en el proceso de producción de energía celular. Además, evita el envejecimiento prematuro, representa un papel fundamental en los mecanismos inmunitarios del organismo y es fundamental para luchar contra los procesos depresivos, ya que su déficit produce una sensación de fatiga y sentimientos de tristeza. Aparece en abundancia en el kiwi, pimientos, cítricos, perejil, grosella, negra, coles de Bruselas, fresas y coliflor.

HIDRATOS DE CARBONO

Los hidratos de carbono o carbohidratos complejos, presentes en el pan, los cereales, las patatas y las legumbres, además de estar situados en la base de la pirámide de la dieta saludable, proporcionan energía y vigor, activan la producción de serotonina cerebral, alejan la sensación de angustia y estrés, y mejoran el estado general de ánimo.

Investigaciones realizadas hace décadas en la Escuela de Medicina de Tufs, Boston, Massachussets, EEUU, demostraron que los sujetos a los que poco antes de ir a la cama se les habían suministrado hidratos de carbono, conciliaban más rápidamente el sueño que aquellos que habían recibido proteínas. Por otra parte, un reciente estudio realizado en Australia con una gran muestra poblacional evidenció que, después de un año, las personas que había seguido una dieta elevada en hidratos de carbono y baja en grasa mostraba mucho menos signos de irritabilidad, depresión y confusión, que aquellos que había hecho una dieta abundante en carne y productos lácteos.

Aunque no es fácil afirmar con absoluta certidumbre que el consumo regular de hidratos de carbono produce una mayor sensación de felicidad o proclividad al buen humor, multitud de experimentos corroboran científicamente que al menos ayudan decisivamente a sobreponerse ante la adversidad y a animarse a realizar tareas que en principio no deseaban realizar, lo cual no es baladí a la hora de incrementar la autoestima y en consecuencia mejorar el estado de ánimo.

ÁCIDOS GRASOS OMEGA-3

Los ácidos grasos omega-3 son unos magníficos mantenedores del buen ritmo cerebral y de la salud mental y en este punto es fundamental recordar que el cerebro humano está constituido por más de un 65% de grasas y sus células se componen en gran parte de los ácidos grasos que se ingieren a través de la dieta. Los Omega-3 son decisivos para mantener la flexibilidad que garantiza el buen funcionamiento y el mantenimiento de las células neurales, pero además son capaces de establecer conexiones químicas fundamentales con las cadenas de fosfolípidos (casi la mitad de la materia blanca y gris está compuesta por fosfolípidos), de manera que resultan esenciales para el equilibrio de las células del tejido nervioso. Como quiera que la membrana neuronal contienen altas concentraciones de omega-3, especialmente DHA, una disminución de estos ácidos grasos alteraría la funcionalidad de la membrana pudiendo ocasionar depresión, agresividad, y otros desórdenes neurológicos. A partir de cierta edad, hay que prestar mucha atención al contenido de omega-3 en la dieta para, además de evitar los riesgos anteriormente descritos, agilizar las sinapsis y evitar la ralentización de la transmisión nerviosa, que produce agujeros en la memoria y en general debilita las funciones intelectuales.

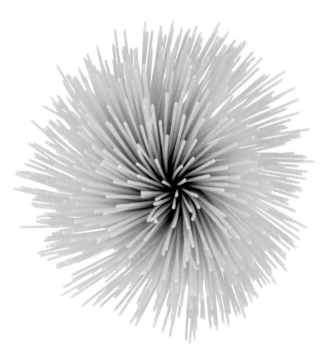

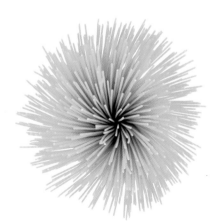

Además, varios estudios han demostrado la utilidad en el tratamiento con omega-3 de los episodios depresivos, mejorando, de forma natural y sin efectos secundarios, síntomas como la tristeza, el insomnio, la falta de energía vital, la ansiedad, las bajadas de la libido, las tendencias suicidas y las ideas negras.

En este campo, los omega-3 se mueven en distintos planos. De un lado mejoran la química interna gracias su potencial antiinflamatorio; de otro, hacen que los neurotransmisores (especialmente aquellos que, como la serotonina, están relacionados con el humor y el placer) se muevan con mayor funcionalidad de una neurona a otra; y, por último, son capaces de romper el círculo vicioso que desde el estrés o la ansiedad, hacen que se consuman menos omega-3 y en consecuencia se potencien los anteriores efectos.

Por último, estas grasas son muy importantes para evitar la depresión post-parto. Parece que los bebés "fabrican" alrededor de un 70% de su cerebro durante los últimos tres meses de embarazo y para realizar esta labor tratan de conseguir ácidos grasos omega-3, sobre todo DHA, por todos los medios a su alcance. Así, si la madre presenta un déficit de DHA, por ligero que este sea, se arriesga a sufrir la depresión que a veces sigue al alumbramiento.

Las mejores fuentes de omega-3, aunque con las limitaciones que a continuación se indican, son arenque, caballa, sardina, sardinas de lata en aceite de oliva, jurel, boquerón, salmón, atún, melva, ostras, mejillones, nueces, pipas de calabaza, semillas de sésamo.

Atención al mercurio en los peces de mayor tamaño

Entre finales de los años noventa del pasado siglo y principios de éste, la FDA (*Food and Drug Administration*) norteamericana, la OMS (Organización Mundial de la Salud) y distintas agencias nacionales de seguridad alimentaria (entre ellas la Autoridad Europea de Seguridad Alimentaria, EFSA) han advertido de la presencia de trazas de mercurio y otros metales pesados en los grandes peces, especialmente en las especies altamente predadoras, como el tiburón, el pez espada o emperador, la melva, el atún, el tiburón y el bonito, por lo que se recomienda no consumir estas especies más de dos veces al mes, y optar por los peces pequeños (sardina, boquerón, jurel) en la dieta cotidiana.

Por su parte, el 28 de septiembre de 2010 el Comité Científico de la Agencia Española de Seguridad Alimentaria y Nutrición (AESAN), en su sesión plenaria aprobó un informe en relación a los niveles de mercurio establecidos para los productos de la pesca en el que recomienda evitar el consumo de grandes peces a mujeres embarazadas o en periodo de lactancia, junto a niños menores de tres años, mientras que para el periodo de edad entre tres y doce años recomendaba no consumir más de 50 gramos semanales de estos grandes peces.

También hay que tener en cuenta algunas cuestiones, como que el atún de lata contiene entre tres y siete veces más mercurio que el fresco y que las conservas "al natural", en agua, además de que apenas contienen omega-3 (que se ha evaporado en el proceso) están más contaminadas que las conservas en aceite. Otro dato a considerar, por ejemplo, es que el salmón ahumado, no sólo contiene mucho menos omega-3 que el fresco, sino que además es muy rico en sal, con lo que prácticamente queda anulado su potencial beneficio cardiovascular. Finalmente, hay que hacer notar que si la conserva se hace en aceite de oliva de calidad, los Omega-3 quedan aprisionados e intactos, por lo que la lata de sardinas que durante muchas décadas formó parte de nuestra dieta cotidiana, es algo a recuperar.

MAGNESIO

Mineral que es componente del sistema óseo, de la dentadura y de muchas enzimas. Participa en la transmisión de los impulsos nerviosos, en la contracción y relajación de músculos, en el transporte de oxígeno a nivel tisular y en el metabolismo energético. Su ausencia o carencia se refleja por la aparición de calambres, debilidad muscular, náuseas, convulsiones, fallas cardíacas y también la aparición de depósitos de calcio en los tejidos blandos. También es considerado antidepresivo natural, ya que actúa favorablemente en el aumento de la serotonina.

Entre los alimentos ricos en magnesio estarán cacao, germen de trigo, almendras, soja, levadura de cerveza, perejil, pipas de girasol, nueces, judías secas, avellanas, arroz integral, gambas y legumbres.

HIERRO

Necesario para el correcto funcionamiento del sistema nervioso y fundamental para prevenir y tratar anemias, este mineral se encarga de transportar oxígeno a los tejidos y órganos de todo el cuerpo, por lo que su carencia o déficit provoca un estado de cansancio, fatiga y mal humor. Se encuentra en cantidad notable en el hígado, berberechos, mejillones, almejas, carne de caza, albaricoques secos, y verduras de hoja verde.

FÓSFORO

Mineral esencial para el normal funcionamiento de todas la células del organismo, forma parte de membranas celulares como los fosfolípidos, que intervienen en el normal funcionamiento del cerebro ayudando a las neuronas a comunicarse entre sí y mejorando el rendimiento intelectual, la concentración y la memoria. Alimentos ricos en fósforo son las pipas de girasol, el germen de trigo, el queso, el bacalao, las sardinas, el chocolate, el huevo, y las carnes magras.

SELENIO

Básicamente, este oligoelemento actúa como antioxidante, es decir protege a las células de los temidos radicales libres, manteniendo su buen salud y evitando su degeneración, por lo que resulta de gran utilidad frente a la falta de elasticidad de la piel, las manchas de la edad, la psoriasis, la caspa y seborrea capilar o en cualquier otro síntoma que implique un envejecimiento prematuro. También tiene un efecto positivo sobre el sistema inmune y, lo que es más sustancial en ese punto, actúa como antidepresivo natural. En este sentido, una investigación publicada en la revista *Biological Psychiatry* en 1991 por los doctores D. Benton y R. Cook, con el título *"The impact of selenium supllementation on mood"*, sugería que los niveles bajos de selenio en la dieta se relacionan con ansiedad, depresión y cansancio, y que las mujeres que suplementan su dieta con selenio tras haber tenido un bebé disminuyen considerablemente el riesgo de padecer depresión postparto, un problema que afecta a alrededor de un 10% de mujeres. En esta misma línea, una reciente investigación llevada a cabo en la Universidad de Gales con un grupo de 17 varones y 33 mujeres, puso de manifiesto que los que tomaron el equivalente a unos 100 microgramos diarios de selenio, durante cinco semanas, se manifestaron visiblemente más contentos, con mayor energía y menos afectados por problemas de ansiedad. Alimentos ricos en selenio son la pasta alimenticia, la harina integral, las nueces de Brasil, el pan integral, el brécol, el repollo, y el arroz integral. Es importante tener en cuenta que la cocción reduce significativamente su contenido y que la vitamina C favorece su absorción.

LITIO

En los años cuarenta del pasado siglo se empezó a utilizar para el tratamiento de diversas dolencias, especialmente la gota y que tres décadas más tarde, en los setenta, el psiquiatra australiano John Frederick Joseph Cade introdujo con éxito en el tratamiento del trastorno bipolar, abriendo las puertas a su uso como una útil herramienta para el tratamiento de los desordenes depresivos.

Actualmente, el litio y sus sales se usan como antidepresivo natural y como complemento para aumentar la eficacia de los antidepresivos químicos o de síntesis. Un relativamente reciente estudio realizado en la Universidad Autónoma de México ponía de manifiesto que pequeñas dosis de litio activaban la producción de serotonina cerebral, lo que además de proporcionar sensaciones de placer, felicidad y bienestar, reducía notablemente las posibilidades de padecer depresión. Los alimentos que proporcionan litio en cantidad significativa son los cereales integrales, alubias, garbanzos, los riñones, el hígado, patatas, nabos y jengibre.

ZINC

Aunque tradicionalmente se ha asociado con funciones como antioxidante, desarrollo de los órganos reproductivos y la salud de la piel, el pelo y las uñas, recientes investigaciones han puesto en evidencia su importancia como regulador de las funciones psicológicas, como calmante nervioso y como actor en procesos cognitivos. Los principales alimentos que lo contienen son ostras, germen de trigo, hígado de ternera, pipas de calabaza, jamón serrano, chocolate negro y ajo.

CAPSAICINA

Se trata de un alcaloide volátil que producen las plantas, fundamentalmente los pimientos, para protegerse de los animales herbívoros. Su picante característico produce una potente e inmediata sensación de calor en la boca, que rápidamente se convierte en dolor contra el que el cerebro reacciona produciendo endorfinas y la consiguiente euforia temporal y sensaciones de placer y bienestar. Se encuentra el chiles o guindillas, pimienta de Cayena y jengibre.

ALIMENTOS ALIADOS DEL BUEN HUMOR, EL PLACER Y LA FELICIDAD

ACEITE DE OLIVA

Que ha de ser virgen, es decir obtenido en frío, para que conserve todas sus muchas salutíferas propiedades, es fuente de energía, muy digestivo, vehículo de transporte de vitaminas liposolubles, y excelente para el aparato circulatorio y cardiovascular; antioxidante o antienvejecimiento, por su contenido en vitamina E y polifenoles; y, lo que aquí es más importante y sustancial, ayuda en el buen funcionamiento de la actividad cerebral y equilibra el sistema nervioso.

AGUACATE

Sus grasas son insaturadas y de ellas alrededor de un 70% es ácido oleico, característico del aceite de oliva virgen y con sus mismas salutíferas propiedades. Además, es excepcionalmente rico en vitamina E, que impide el deterioro oxidativo de las grasas poliinsaturadas provenientes de otros alimentos; en magnesio, que ayuda el buen funcionamiento del intestino, los nervios y los músculos, al tiempo que mejora la inmunidad y posee un suave efecto laxante; en vitamina B6, indispensable para el crecimiento, la producción sanguínea, la prevención de infecciones y la salud del sistema nervioso; y en fenilalanina, esencial para producir norepifedrina cerebral, mejorar el ánimo y mantener un tono de buen humor.

AJO

Sus ácidos y la presencia en su composición de magnesio, fenilananina, vitamina B6, ácido fólico, triptófano y selenio, ayudan a incrementar el nivel de serotonia cerebral, contribuyendo a combatir el estrés y los estados depresivos. Por otra parte, los efectos sedantes que proporcionan otros componentes, como ácido cafeico, apigenina, geraniol, linalol y estimagterol, suben el ánimo y mejoran el tono general. No obstante, estos efectos sólo se producen cuando se toma en crudo, porque, como dice el refrán: *"Ajo cocido, ajo perdido"*.

ALBARICOQUES SECOS

Deshidratados al sol para aprovechar sus propiedades nutricionales fuera de temporada, cuando no pueden consumirse, se llaman orejones y el agua que contienen en fresco pasa del 90% al 8%. Aportan una gran cantidad de hierro, que, además de prevenir anemias, proporciona energía y vitalidad, y una espectacular cantidad de niacina o vitamina B3, que previene alteraciones del sistema nervioso, como nerviosismo, ansiedad, irritabilidad o insomnio. Por otra parte son excepcionalmente ricos en betacarotenos, que se transforman en vitamina A a medida en que el organismo la va necesitando para distintas funciones; una vitamina esencial para mantener una correcta visión, para el buen estado de la piel, el pelo, las mucosas y los huesos. Además tiene propiedades antioxidantes o antienvejecimiento y representa un muy activo papel dentro del sistema inmunológico.

ALMEJAS

Uno de los alimentos animales más ricos en vitamina B12 (1 mcg. por cada gramo) o colabamina, necesaria para la obtención de energía y el mantenimiento de la reserva energética muscular, tiene un papel fundamental en la síntesis de los neurotransmisores, y conserva en buen estado la mielina, vaina que protege los nervios y los axones de las neuronas, permitiendo la correcta transmisión de los impulsos nerviosos.

ALMENDRAS

Las almendras son muy ricas en vitaminas del grupo B, especialmente de B1 o tiamina; B3 o niacina; B5 o ácido pantoténico; B6; y ácido fólico, que en su conjunto actúan como equilibradoras de sistema nervioso central; y en magnesio, mineral que, participa en el metobolismo energético y en la transmisión del impulso nervioso, lo que ayuda a reducir el estrés y a mejorar el estado de ánimo. También aportan fenilalanina que favorece los estados de ánimo positivos y ayuda a prolongar el buen humor.

ALUBIAS Y OTRAS LEGUMBRES SECAS

Son ricas en hidratos de carbono, que aportan energía a medida que el organismo la va demandando; en potasio, lo que unido a su escasez en sodio, les convierte en alimento ideal para prevenir la hipertensión y por añadidura a evitar las sensaciones de debilidad y cansancio; en hierro, transportador de oxígeno y nutrientes a través de la sangre y preventivo de anemias; y muy especialmente en vitamina B1 o tiamina, que produce energía a partir de los hidratos, potencia los efectos de la acetilcolina, es esencial para prevenir los efectos de pérdida de memoria, y es muy importante para incrementar la eficacia de las terminaciones nerviosas y los neurotransmisores, lo que lleva a evitar o reducir la irritabilidad y la ansiedad.

ARROZ INTEGRAL

Además de que gracias a su contendido en potasio y fibra previene la hipertensión y el exceso de colesterol en sangre, es un excelente reconstituyente en casos de sobreesfuerzo físico o mental, ayudando a mantener la mente tranquila y despejada, y además aporta vitamina B6, que ejerce un efecto sedante sobre el sistema nervioso.

AVELLANA

Un complemento energético de primer orden especialmente recomendadas para afrontar requerimientos de gran desgaste físico y psíquico, con un alto contenido en magnesio, mineral que frena el estrés, y los estados de irritabilidad o tensión nerviosa. Por otra parte es muy rico en vitamina E (un puñado de avellanas cada día se cubre más del 60% de las recomendaciones diarias recomendadas de vitamina), poderoso antioxidante, que protege las células musculares y frena el deterioro de las membranas celulares del sistema nervioso.

BACALAO

Pescado muy generoso en tres vitaminas del grupo B: B1 o tiamina, que evita los estados de decaimiento, desánimo, irritabilidad, ansiedad, cansancio intelectual, aumento de sensibilidad a estímulos dolorosos, depresión y descenso de las habilidades mentales; B6 o piridoxina, que favorece la correcta asimilación del triptófano y mantiene el sistema nervioso en buen estado; y B9 o ácido fólico, muy interesante para mejorar el estado general de ánimo y evitar la depresión, ya que es capaz de aumentar los niveles de serotonina cerebral.

BERBERECHOS

Uno de los alimentos más ricos en hierro, mineral que además de alejar el riesgo de anemias con el consiguiente decaimiento físico y mental, actúa como transportador de oxígeno de todas las células y tejidos, mejorando el estado general, y tiene un papel fundamental en la producción de neurotransmisores y en las funciones relacionadas con el aprendizaje y la memoria.

BRÉCOL

Muy rico en betacarotenos que el organismo convierte en vitamina A, indispensable para el crecimiento, la buena visión, y el desarrollo del sistema nervioso; en triptófano, precursor de la serotonina, calmante natural, euforizante y antidepresivo; en magnesio, mineral que se relaciona con el buen funcionamiento de los sistemas nervioso y muscular. Por otra parte, gracias a su alto contenido en los compuestos azufrados (que son responsables del fuerte olor que desprende esta verdura durante su cocción), a los glucosinolatos, isotiocianatos, indoles o fibra, entre otros varios, el brécol es un eficacísimo aliado frente a enfermedades degenerativas y ciertos tipos de cáncer, especialmente los de colon y pulmón.

CABALLA

Excepcionalmente rica en ácidos grasos omega-3, formidables mantenedores del buen ritmo cerebral y de la salud mental y decisivos para mantener la flexibilidad que garantiza en buen funcionamiento y el mantenimiento de las células neurales; y en vitamina B12, imprescindible en la transformación de los ácidos grasos en energía, participa en la síntesis de los neurotransmisores, y conserva en buen estado la mielina, vaina que protege los nervios y los axones de las neuronas, permitiendo la transmisión de los impulsos nerviosos.

CALABAZA

Es abundante en beta-caroteno o provitamina A, antioxidante y esencial para la visión, el buen estado de la piel, el pelo, las mucosas, y el sistema nervioso; y en magnesio, que actúa contra los estados de estrés, tensión nerviosa e irritabilidad.

CARNE MAGRA DE CERDO, POLLO Y PAVO

Aporta proteínas de alto valor biológico, cuya función es reconstruir constantemente las células y tejidos del organismo, mejorando así el estado general; y triptófano, aminoácido esencial, cuya función consiste en activar la liberación del neurotransmisor serotonina, directamente involucrado en la regulación del sueño, el bienestar psicológico, el buen humor, y el placer.

CEREALES INTEGRALES

Abundantes en vitaminas B6 o piridoxina, que mejora el estado general del sistema nervioso, favorece la correcta asimilación del triptófano, y cuyo déficit puede ocasionar depresión, confusión, problemas de memoria y cambios súbitos de humor; y B9 o ácido fólico que igualmente mejora el estado general de ánimo y evita la depresión, aumentando los niveles de serotonina cerebral.

CEREZA

Es una fruta muy rica en antocianos y ácido elágico, que actúan como freno ante el efecto dañino de los radicales libres; en vitamina C, de acción igualmente antioxidante o antienvejecimiento; y en fibra, que previene o mejora el estreñimiento, contribuye a reducir las tasas de colesterol y a mantener los niveles de azúcar en sangre. Actúa como un analgésico natural, y es un precursor de la melatonina, al punto de que un estudio de la Universidad de Michigan concluyó que consumir una veintena de cerezas diarias resultaría más eficaz y carente de efectos secundarios que el uso de cualquier antidepresivo de síntesis.

CHAMPIÑÓN

Es un buena fuente de vitaminas del grupo B, especialmente de B2 y B3, que contribuyen a mantener en forma el sistema nervioso; y de zinc, mineral que regula varias funciones psicológicas y cognitivas, al tiempo que actúa como calmante nervioso. Esta combinación ayuda a contrarrestar los efectos derivados de cuadros de depresión leve, ansiedad y fatiga.

CHILES Y GUINDILLAS

Son la principal fuente de capsaicina, un alcaloide que les confiere su característico sabor picante y calorífico, a la vez que actúa como enmascarador en el cerebro de la sensación de dolor y activa la producción de endorfinas, neurotransmisores opioides que consiguen atenuar el dolor, producen sensación de bienestar, generan sensación de placer y ayudan a liberar las hormonas sexuales, responsables del deseo sexual.

CHOCOLATE NEGRO

El cacao, componente básico del chocolate negro, es junto al guaraná, la única fuente natural de teobromina, un estimulador del sistema nervioso central e inductor de sensaciones de tranquilidad, relajación y felicidad, con una acción antiestrés que aumenta la sensación de placer y buen humor.

DÁTILES

Son ricos en vitamina B3 o niacina, implicada en la producción de energía a partir de los hidratos de carbono y en la elaboración de tirosina, un aminoácido que ayuda a mantener y estabilizar los niveles de glucosa en sangre, y que tiene un papel singular en la prevención de estados depresivos.

ESPINACAS

Uno de los alimentos *mood food* por excelencia ya que es una magnífica fuente de triptófano, precursor de la serotonina, neurotransmisor responsable de la estabilidad del estado de ánimo, calmante natural, favorecedor de sentimientos positivos y un freno a la irritabilidad y la depresión; de tirosina, aminoácido que estabiliza los niveles de azúcar en sangre, y contribuye a la transformación de la vitamina B3, el ácido fólico y la vitamina C en neurotransmisores como la dopamina y la norepinefrina, asociados al placer y la felicidad; y de vitamina B6, que desarrolla un importante papel en la conversión del triptófano en serotonina y que desactiva el ácido glutamínico, lo que produce un efecto sedante sobre el sistema nervioso.

FRESAS Y FRESONES

Son una buena fuente de vitamina C, de acción antioxidante o antienvejecimiento; en fibra que evita el estreñimiento y sus secuelas de disconfort y malhumor; en salicilatos, analgésicos naturales; y en ácido fólico, que equilibra la química del cerebro y eleva los niveles de serotonina y dopamina, neurotransmisores relacionados con el placer, el bienestar psicológico, y el buen humor.

GARBANZOS

Aportan fenilalanina, que activa la producción de norepifedrina cerebral, favoreciendo los estados de ánimo positivos y reduciendo la velocidad de descomposición de las endorfinas, lo que ayuda a mitigar el dolor y a prolongar el buen humor; ácido fólico, que refuerza el sistema inmunológico y mejora la química cerebral; vitamina B1, que potencia los efectos de la acetilcolina, responsable de la buena memoria y frena los estados de irritabilidad; y litio, cuyas sales se usan como antidepresivo natural y como complemento para aumentar la eficacia de los antidepresivos químicos o de síntesis.

HÍGADO DE TERNERA

Muy rico en hierro, mineral imprescindible para evitar anemias y para garantizar la buena oxigenación de los tejidos y células; en vitamina A, esencial para el crecimiento, la vista, el desarrollo normal de los tejidos, la salud de la piel y de las mucosas, que constituyen la primera línea de defensa del organismo frente a infecciones; en vitamina B9 o ácido fólico, extraordinariamente útil para mejorar el estado general de ánimo y evitar la depresión, debido a su gran potencial para aumentar los niveles de serotonina cerebral; y excepcionalmente abundante en vitamina B12, necesaria para la producción de material genético, la formación de hematíes, la síntesis de neurotransmisores, y la buena conservación de la mielina, vaina protectora que recubre los nervios y los axones de las neuronas, permitiendo la transmisión de los impulsos nerviosos.

HUEVO

Una fuente de proteínas de la mejor calidad (la proteína del huevo es considerada la proteína-patrón a partir de la cual se mide el valor nutricional de cualquier otro producto proteico); de triptófano, precursor de la serotonina, neurotransmisor implicado en el sueño fisiológico, el placer, el confort espiritual y el buen humor.

JAMÓN

Es una generosa fuente de proteína de alto valor biológico, cuya función es reconstruir las células y tejidos del organismo; y rico en zinc, relacionado con el buen funcionamiento cerebral y con la agilidad psicológica.

LECHE DE VACA DESNATADA

Aporta una sensible cantidad de triptófano, liberador de la serotonina cerebral e implicado en la regulación del sueño, el bienestar psicológico, el placer y el buen humor.

LECHUGA

Como otras verduras de sabor amargo, es un magnífico estimulante digestivo y un tónico hepático. Por otra parte, sus efectos sedantes y ligeramente soporíferos la convierten en alimento interesantísimo para personas con ansiedad, estrés o dificultades de conciliar el sueño. Por último, aporta magnesio, con un efecto sedante sobre el sistema neuromuscular y un freno ante la tensión nerviosa y los estados de irritabilidad.

LENTEJAS

Son una buena fuente de hierro (más asimilable en medio ácido y en presencia de vitamina C, por lo que es muy conveniente rociar con el chorrito de zumo de limón), que proporciona energía y oxigena el organismo; de magnesio, que mejora los estados de irritabilidad y de tensión nerviosa; de fenilalanina, esencial para la producción de norepifedrina, un neurotransmisor que favorece la positividad de ánimo y ralentiza la descomposición de las endorfinas, reduciendo el dolor y mejorando el humor; de vitamina B1, que potencia los efectos de la acetilcolina, responsable de la buena memoria y frena los estados de irritabilidad; y de vitamina B6, que refuerza la rapidez del pensamiento, al tiempo que mitiga el dolor y mal humor premenstrual.

LEVADURA DE CERVEZA

Un alimento esencial para mantener en buen estado el sistema nervioso debido a su riqueza en vitaminas del grupo B, especialmente en B1 o tiamina, fundamental en la producción de energía, preventiva de la pérdida de memoria, y un freno ante estados de irritabilidad; B6 o piridoxina, esencial para la transformación del triptófano en serotonina, alivia los dolores y el malhumor premenstrual, reduce la irritabilidad, refuerza la rapidez de pensamiento y ejerce un efecto sedante sobre el sistema nerviosos; B9 o ácido fólico, que eleva los niveles de serotonina y dopamina en el cerebro; y B12, implicada en la transformación de los ácidos grasos en energía, muy activa en la síntesis de los neurotransmisores, y eficaz en la conservación de la mielina, vaina que protege los nervios y los axones de las neuronas, permitiendo la transmisión de los impulsos nerviosos.

MANZANA

Es una excepcional fuente de fibra y pectina, que previenen y tratan eficazmente el estreñimiento y sus dolencias derivadas en malestar general y pésimo humor; aporta una buena cantidad de potasio, implicado en la contracción y relajación muscular y en el equilibrio hídrico del organismo, que minimiza el riesgo de padecer hipertensión; generosa en vitamina C, de acción antioxidante o antienvejecimiento; y en vitamina E, que elimina los desechos tóxicos generados por la oxidación de las grasas poliinsaturadas.

MARISCO

Son una buena fuente de magnesio, mineral que ejerce una influencia sedante sobre el sistema neuromuscular y reduce la irritabilidad; de vitamina B1 o tiamina, que evita estados de decaimiento y desánimo, representa un papel protagonista en la absorción de glucosa por parte del sistema nervioso, lo cual constituye un freno ante estados de irritabilidad, ansiedad, cansancio intelectual, depresión y descenso de las habilidades mentales; de B3, que proporciona energía a partir de los hidratos de carbono y ralentiza el deterioro de la función cerebral; y de B12, necesaria para la transformación de los ácidos grasos en energía, para la síntesis de los neurotransmisores, y para la conservación de la mielina, vaina que protege los nervios y los axones de las neuronas, permitiendo la transmisión de los impulsos nerviosos.

MIEL, POLEN Y JALEA REAL

Tres productos que fabrican las abejas con diferente valor nutricional, terapéutico y *mood food*. La miel, contiene inhibitas, que son sustancias con capacidad bactericida y antiséptica que garantizan una barrera contra las infecciones que pueden alterar la fisiología del organismo y provocar disconfort.

Además tiene un efecto calmante muy útil en estados de nerviosismo y ansiedad. Por su parte, el polen es un regulador intestinal que mejora la asimilación de los nutrientes de los alimentos y propicia la producción de glóbulos rojos y en consecuencia previene anemias y situaciones de decaimiento físico y mental. Finalmente, la jalea real, debido a su compleja composición bioquímica y a su abundancia en vitaminas del grupo B, tiene una función antibiótica, modula el sistema de defensas, es tonificante y, lo que aquí viene a ser más sustancial, equilibra el sistema nervioso.

NUECES

Son una excelente fuente de ácidos grasos omega-3, que mantienen en forma el sistema nervioso y protegen la mielina, vaina que recubre los nervios; de ácido fólico, que equilibra la química cerebral, eleva los niveles de serotonina y dopamina, induciendo placer, calma y bienestar.

NUECES DE BRASIL

Un alimento altamente energético y sobre todo poderoso antioxidante o antienvejecimiento, muy rico en magnesio, mineral con una sensible influencia sedante sobre el sistema neuromuscular y freno ante estados de irritabilidad y tensión nerviosa; y en selenio, un oligoelemento que también posee un gran potencial antioxidante y que ayuda a proteger al organismo de los efectos tóxicos de los metales pesados y otras sustancias dañinas que provocan disconfort, malhumor e irritabilidad.

PAN INTEGRAL

Aporta hidratos de carbono de absorción lenta cuya energía va usando el organismo a medida que la necesita; es una buena fuente de fibra, que evita los riesgos de estreñimiento y el consiguiente mal humor que le acompaña; de vitamina B1 o tiamina que interviene en la transformación de los alimentos en energía, evita estados de decaimiento, desánimo, hormigueo en las extremidades, irritabilidad, ansiedad, cansancio intelectual, y depresión; de vitamina B6 o piridoxina, que favorece la asimilación del triptófano, interviene en la transformación en energía de los hidratos de carbono y mantiene el sistema nervioso en buen estado; y de ácido fólico, muy útil para mejorar el estado general de ánimo y evitar la depresión, ya que es capaz de aumentar los niveles de serotonina cerebral.

PATATA ASADA

Generosa en hidratos de carbono complejos que proporcionan energía al organismo de manera lenta y en función de los requerimientos derivados de la mayor o menor actividad física y mental; y abundante en B6, vitamina con un importante papel en la transformación del triptófano en serotonina, que acelera la velocidad de pensamiento, reduce los síntomas físicos y psicológicos del síndrome premenstrual, y constituye una barrera natural frente a los estados de irritabilidad.

PEREJIL FRESCO

Muy rico en vitamina C, de acción antioxidante o antienvejecimiento; en flavonoides también de acción antioxidante, además de antiinflamatoria y diurética; en aceite esencial rico en apiol y miristicina, que produce una acción vasodilatadora y tonificante; y en zinc, un calmante natural, activador de las funciones psicológicas e impulsor del buen funcionamiento cerebral.

PIMIENTO ROJO

Excepcionalmente rico en carotenos, precursores de la vitamina A, necesaria para el crecimiento, el desarrollo normal de los tejidos, la visión, y la salud de la piel y los tejidos superficiales, especialmente las mucosas, que constituyen la primera línea de defensa del organismo ante las infecciones: muy abundante en vitamina C, antioxidante o antienvejecimiento, y desintoxicante; y una buena fuente de niacina o vitamina B3, que interviene decisivamente en el metabolismo de los ácidos grasos, la respiración de los tejidos, la eliminación de toxinas y productos de desecho para el organismo, y una garantía de buen funcionamiento de las funciones cerebrales.

PIPAS DE CALABAZA

Constituyen la principal fuente vegetal de zinc, sedante natural y necesario para la salud del sistema inmunológico, el crecimiento, la maduración sexual masculina, el sentido del gusto, el tratamiento de la anorexia nerviosa y la salud general del sistema nervioso. También son ricas en triptófano, calmante natural y estabilizador del estado de ánimo, barrera contra la irritabilidad y la depresión y fuente de sentimientos positivos.

PIPAS DE GIRASOL

Buena fuente de triptófano, aminoácido esencial cuya función consiste en promover la liberación del neurotransmisor serotonina, directamente involucrado en la regulación del sueño, el bienestar psicológico, el confort espiritual, el placer y el buen humor.

PIÑA NATURAL

También es fuente importante fenilalanina, neurotransmisor que interviene en la producción de norepifedrina cerebral, favoreciendo los estados de ánimo positivos y ralentizando la descomposición de las endorfinas, lo que ayuda a reducir la sensación de dolor y prolonga el buen humor.

PISTACHOS

Muy ricos en proteína vegetal (entre un 18% y un 24%) que reconstruye el organismo; en arginina, aminoácido esencial en la recuperación muscular, ya que mejora la circulación sanguínea y con ello el aporte de nutrientes a las células del cuerpo, mejorando el estado general y el humor; en fibra, que aleja el peligro de estreñimiento y la falta de confort que de este padecimiento se deriva; en vitamina B1 o tiamina, que interviene en la transformación de los alimentos en energía, lo que evita el decaimiento y el desánimo, mejora la coordinación motora y trata los síntomas de irritabilidad, ansiedad, cansancio intelectual, depresión y descenso de las habilidades mentales; en vitamina B6 o piridoxina, que favorece la correcta asimilación del triptófano, interviene en la transformación en energía de los hidratos de carbono y las grasas de la dieta, mejora la circulación general, y mantiene el sistema nervioso en buen estado; y en zinc, relacionado con el buen funcionamiento cerebral y las habilidades cognitivas.

PLÁTANO

Es una buena fuente de triptófano, aminoácido que activa la serotonina cerebral mejorando el humor y el estado de ánimo, combatiendo la ansiedad, la depresión y el estrés, al tiempo que facilita la conciliación de un sueño fisiológico y reparador.

POMELO

Su riqueza en antioxidantes le otorga un potencial terapéutico preventivo de enfermedades degenerativas y constituye un freno ante los nocivos efectos de la contaminación ambiental, la exposición a tóxicos, o el consumo e inhalación del humo del tabaco. Además es muy abundante en magnesio, mineral que participa en la transmisión del impulso nervioso y que actúa como antidepresivo natural al aumentar la serotonina cerebral; y en ácido fólico, vitamina fundamental para mejorar el estado general de ánimo y evitar la depresión, gracias a que también es capaz de aumentar los niveles de serotonina cerebral.

REPOLLO

Una excelente fuente de magnesio, mineral que además de ser un antidepresivo natural, participa en la transmisión de los impulsos nerviosos y en la contracción y relajación de músculos, previniendo estados de debilidad y decaimiento; de carotenos o provitamina A, indispensable para el crecimiento, la visión, y la salud de las mucosas que son la primera línea de defensa ante las infecciones, lo que mejora sustancialmente el estado general; y de ácido fólico, antidepresivo natural por su capacidad para aumentar la producción de serotonina cerebral.

SALMÓN

Muy rico en ácidos grasos omega-3, fundamentales para mantener la flexibilidad de las células neurales y capaces de establecer conexiones químicas fundamentales con las cadenas de fosfolípidos, por lo que resultan importantísimos para el equilibrio de las células del tejido nervioso. No obstante y como antes se dijo, la OMS y nuestras autoridades sanitarias ya han advertido hace tiempo de que este pescado debe consumirse con prudencia, ya que en sus espacios intramusculares pueden presentar trazas o rastros de metales pesados, especialmente mercurio.

También es generoso en vitaminas del grupo B, especialmente en B6, que favorece la correcta asimilación del triptófano, interviene en la transformación en energía de los alimentos, mantiene el sistema nervioso en buen estado, es eficaz contra la depresión y evita cambios súbitos de humor; en B9 o ácido fólico, que, al contribuir al aumento de los niveles de serotonina, mejora el estado general de ánimo y frena la caída depresiva; y en B12, que ayuda a mantener la reserva energética en los músculos, participa en la síntesis de los neurotransmisores, y conserva en buen estado la vaina que protege los nervios y los axones de las neuronas, permitiendo la transmisión de los impulsos nerviosos; y en magnesio, antidepresivo natural y vigía de los impulsos nerviosos.

SALVADO DE AVENA

Más que alimento, complemento, pero extraordinariamente popular debido a su protagonismo en la dieta Dukan, es muy abundante en tiamina o vitamina B1, que propicia la transformación de los alimentos en energía y en consecuencia evita estados de decaimiento y desánimo, además de actuar frente a situaciones de falta de coordinación motora, irritabilidad, ansiedad, cansancio intelectual, aumento de sensibilidad al ruido, depresión y descenso de las habilidades mentales; en fibra, que previene y trata el estreñimiento, evitando

estados de ansiedad y mal humor; y hierro, que frena el riesgo de anemias y decaimientos físicos y mentales, al tiempo que transporta oxígeno a todas las células del organismo, propiciando bienestar general.

SARDINAS

Magnífica fuente de ácidos grasos omega-3, decisivos para mantener la flexibilidad que garantiza un buen funcionamiento y el mantenimiento de las células neurales, y para lograr el equilibrio de las células del tejido nervioso; ricas en vitamina B1, que evita estados de decaimiento y desánimo y es un seguro de confort frente a situaciones irritabilidad, ansiedad, cansancio intelectual, depresión y descenso de las habilidades mentales; abundantes en vitamina B12, implicada en la transformación de los ácidos grasos en energía y en la síntesis de los neurotransmisores, al mismo tiempo ayuda a conservar la mielina, vaina que protege los nervios y los axones de las neuronas, permitiendo la transmisión de los impulsos nerviosos; y en zinc, mineral con un importante papel en la regulación de las funciones psicológicas, calmante nervioso e implicado en los procesos cognitivos.

SEMILLAS DE SÉSAMO

Aportan proteínas vegetales; una estimable cantidad de hierro, que aleja el riesgo de anemia y proporcionan vigor vital ante posibles estados de decaimiento físico y mental; y bastante zinc, antioxidante natural, protector hepático y actor en las funciones cerebrales y cognitivas.

SEPIA

Una alternativa para las personas que rechazan el consumo de pescado y un bocado rico en magnesio un activador de la serotonina y en consecuencia antidepresivo natural; y vitamina B12, que transforma los ácidos grasos en energía, participa en la síntesis de los neurotransmisores, y conserva en buen estado la mielina, vaina que protege los nervios y los axones de las neuronas, permitiendo la mejor transmisión de los impulsos nerviosos.

TOMATE

Aporta una buena cantidad de fenilalanina, activadora de la norepifedrina cerebral, que mejora el estado de ánimo y a la vez contribuye a reducir el dolor y a prolongar el buen humor, al ralentizar el proceso de descomposición de las endorfinas.

VINO

El vino, tomado con moderación (de dos a cuatro vasitos al día y siempre en las comidas) y sólo por adultos, tiene un gran interés nutricional, terapéutico y *mood food*. Además de energético y preventivo de accidentes cardio-vasculares, debido a la acción de sus polifenoles y muy especialmente por su contenido en resveratrol, favorece la disminución del estrés oxidativo, retrasa el proceso general de envejecimiento, mejora de la función cognitiva y previene enfermedades neurodegenerativas como el Alzheimer. Además, facilita la digestión, y, al actuar sobre el ciclo metabólico del azúcar y sobre neurotransmisores cerebrales como la serotonina, la dopamina y la adrenalina, tiene unas formidables propiedades ansiolíticas que ayudan a disolver las tensiones emocionales y a producir un aumento de la capacidad de comunicación y de pensamiento.

YOGURT NATURAL

Es un alimento muy rico en proteínas de alto valor biológico, calcio de fácil asimilación, vitaminas del grupo B, decisivas a la hora de mantener en forma el sistema nervioso, vitamina A, que estimula las funciones inmunes, y D, que ayuda a fijar el calcio de huesos y dientes, aunque estas dos últimas vitaminas, al ser liposolubles, solo están presentes en los yogures enteros. Además, se trata de un alimento prebiótico ya que sus bacterias vivas contribuyen a equilibrar la flora bacteriana del intestino y a potenciar el sistema de defensas contra infecciones y otras enfermedades que suelen ser motivo de irritabilidad y mal humor.

¿PERO QUÉ SON FELICIDAD, PLACER Y BUEN HUMOR?

Tratar de definir la felicidad es tarea probablemente inalcanzable, porque, según para quien, es algo que remite a posesión de bienes, trabajo honesto y virtud pura, ignorancia de la verdad o ráfaga de luz pasajera.

El dramaturgo de los Siglos de Oro, Pedro Calderón de la Barca, jugando con la ambivalencia, escribió: *"¡Oh que bien dijo el que dijo/ que la felicidad era/ de los vicios inventora,/ y de las delicias maestra!"*, mientras que el romántico italiano Giacomo Leopardi, consideraba que la felicidad no consistía más que en la ignorancia de la verdad, y el escritor, poeta y dramaturgo irlandés Oscar Wilde la asociaba a la suma de la libertad, las flores, los libros y la Luna.

Cronológicamente, es probable que el primer pensador sobre el tema fuera Aristóteles, para quien la felicidad humana sólo puede llegar a alcanzarse desarrollando al máximo las capacidades morales, intelectuales, artísticas y de todo cualquier otro tipo, o, lo que para él venía a ser lo mismo, practicando las virtudes o excelencias, especialmente la prudencia, porque solo la persona prudente pude dar con la clave de la conducta adecuada y propicia para cada situación, obteniendo así el mayor grado de felicidad posible en el conjunto de su propia vida. Sobre esta reflexión y conclusiones, proponía como ideal de vida la contemplación y estudio de las verdades filosóficas y científicas, resumiendo su posición en la frase: *"La felicidad es de los que se bastan a sí mismos"*, que aparece en el capítulo VII de su obra *Moral o Ludemo*, y que de alguna forma asume muchos siglos más tarde el filósofo alemán Arthur Schopenhauer en su libro *Eudemonología*, diciendo: *"Lo esencial para la felicidad de la vida es lo que uno tiene en sí mismo"*.

Para otro griego antiguo, Epicuro, la felicidad consiste en gozar inteligente y moderadamente de los placeres de la vida, evitando a toda costa el dolor y cultivando todo aquello que presumiblemente suele tener consecuencias agradables, como la amistad, la lectura o la conversación, mientras que para los griegos estoicos, firmes creyentes de la fuerza e inevitabilidad del destino, el único camino que conduce a la felicidad es la capacidad para no alterarse frente a los altibajos y reveses de la fortuna, llegando a un estado de imperturbabilidad, paz interior y autodominio.

Siglos más tarde empieza a imponerse el pensamiento cristiano que propugna que la felicidad se alcanza en el encuentro con Dios y con el amor al prójimo, y su influencia casi absoluta se extiende por todo occidente hasta que en el siglo XVIII empieza a cobrar protagonismo el utilitarismo cuya máxima es que la felicidad incluye una gran variedad de experiencias agradables que, sobre la base de un sentimiento de simpatía, incluyen la amistad y los actos altruistas, ya que lo moralmente correcto es tratar de fomentar el mayor placer y para el mayor número de personas o animales dotados de sensibilidad.

Entretanto, el budismo, filosofía cuyo origen se remonta al siglo v a.C. y que durante centurias sólo ha tenido influencia real en países orientales, comienza a fluir por Europa y América propugnando que la felicidad solo se alcanza llegando al nirvana, que es el momento en el que el alma se libra del deseo, proponiendo en aras de tal objetivo la meditación, la vida morigerada, armónica y virtuosa, sin excesos de tipo alguno y resumiendo que no es feliz el que más tiene sino el que menos necesita.

Pero occidente sigue pensando y a través de autores como Kant, Rawls, Apel o Habermas, se empieza a concebir la libertad como autorrealización, de manera que el asunto pasa a ser algo que cada cual debe resolver según sus capacidades, deseos y posibilidades. En definitiva, ir hacia la felicidad es construir un proyecto de vida más o menos realista y después intentar llevarlo a cabo, aunque para que tal cosa llegue a buen término es de todo punto imprescindible que la sociedad garantice unas mínimas condiciones para el ejercicio de la libertad y la justicia.

Entrando de lleno en la contemporaneidad, uno de los pensadores más activos y prolíficos en este campo es el psicólogo y escritor norteamericano Martin Seligman, autor del libro *Auténtica Felicidad*, que, publicado en 2002, consideraba que la felicidad incluye y se divide en tres grandes elementos: las emociones positivas, referidas a que aquello que se siente contribuye a una vida placentera y donde habría que incluir el placer, el confort, la efusión o el éxtasis; el compromiso, que haría referencia al flujo que se recibe durante la realización de una acción placentera y a la vez absorbente, como leer, escuchar música o practicar un deporte; y el propósito o sentido, que significa que durante una situación de flujo placentero, en un momento u otro el individuo acaba preguntándose que sentido tiene ese momento.

Sin embargo, diez años más tarde, en 2012, su posición ha evolucionado y considera que estos tres elementos de felicidad, sin dejar de ser imprescindibles, no son suficientes, sino la base que determina el grado de satisfacción que expresamos o sentimos en cada momento determinado de nuestra vida. Ahora, Selehman habla de "florecimiento" (*flourising*), que se apoya en cinco pilares resumidos en el acróstico PERMA (*Positive Emotion, Engagement, Relationships, Meaning, Accomplishment*), y que a grandes viene a decir que la verdadera felicidad se obtiene con una vida placentera, comprometida, relacional, con sentido y diseñando metas alcanzables.

Dejando a un lado la reflexión académica y especializada, a la que la mayoría del público tiene escaso acceso y de la que recibe muy poca influencia, parece imprescindible acercarse a las posiciones de personajes que aún careciendo de una formación universitaria o científica en torno a la cuestión, son verdaderos líderes de opinión y ejercen una enorme influencia conceptual en las masas. Dentro de este ámbito, la felicidad se suele abordar con distancia y pesimismo y de ello es casi paradigma el novelista y dramaturgo brasileño Paulo Coelho, uno de los escritores más leídos del mundo, con más de 140 millones de ejemplares vendidos en más de centenar y medio de países y traducido a 73 lenguas.

Respecto a qué es la felicidad, dice Coelho que: *"... esa es una pregunta que ya borre hace mucho de mi cabeza, justamente porque no sé responderla"*. Tras muchos años de convivencia con personas de todas las clases sociales, militares, científicos, literatos, y gentes de toda laya y condición, su percepción de la felicidad no puede ser más escéptica: *"Algunas personas parecen felices, simplemente porque no se plantean el asunto. Otras hacen planes: tendré un marido, una casa, dos hijos, una casa de campo… mientras se encuentran ocupadas realizando la lista, son como toros embistiendo: no piensan, sólo avanzan. Consiguen un coche, a veces consiguen hasta un Ferrari, les parece que en eso consiste el sentido de la vida, y no se hacen nunca la pregunta ¿qué es la felicidad? Pero, a pesar de todo, los ojos arrastran una tristeza de la que esas personas no son ni siquiera conscientes. Yo no sé si todo el mundo es infeliz. Lo que sé es que las personas están siempre ocupadas. Trabajando más tiempo del que les corresponde, ocupándose de los hijos, del marido, de la carrera, del diploma, de lo que harán al día siguiente, de lo que hay que comprar, de lo que hay que tener para no sentirse inferior, etc. Pocas personas me dijeron: "Soy infeliz". La mayoría dice: "Estoy de maravilla. Conseguí todo lo que quería". Entonces les pregunto: "¿Qué es lo que te hace feliz?". Me responden: "Tengo todo lo que se pueda desear: familia, casa, trabajo, salud…". Les pregunto de nuevo: "¿Alguna vez te paraste a pensar si eso era todo en la vida?". Y responden: "Sí, eso es todo".*

ANALOGÍAS Y DIFERENCIAS ENTRE FELICIDAD Y PLACER

Con frecuencia felicidad y placer se entienden o conciben como sinónimos, pero no es así necesariamente. Cierto es que, en general, experimentar placer es algo agradable y positivo, pero también hay casos, como podría ser el de los ascetas o los masoquistas, en los que los individuos encuentran placer en la privación voluntaria de placeres cotidianos o directamente en el sufrimiento y el dolor.

En definitiva, el placer remite a obtener una satisfacción sensible, mientras que la felicidad se alcanza a través de la autorrealización y llevando a buen puerto proyectos de vida, lo que a veces produce placer o satisfacciones sensibles; y otras no.

Parece que conseguir un mínimo de bienestar físico y psicológico es imprescindible para ser feliz, pero no es infrecuente que personas que poseen los elementos que teóricamente contribuyen a la felicidad, como buena salud, seguridad económica y sentimental, notoriedad social y cotas notables de libertad, no se siente felices e incluso viven amargados.

Esta aparente contradicción puede ser debida a múltiples razones o causas.

El aburrimiento o hastío, entendido como el fastidio inmenso ocasionado por repetidos disgustos o molestias que parecen no tener fin o sencillamente el no encontrar cosa alguna que divierta y distraiga, suele ser una de las razones fundamentales por las que personas que poseen los elementos teóricos de felicidad recurren a la búsqueda de medios extremos, como el alto riesgo, las drogas, el alcohol o la violencia, entrando en una espiral que, sin motivo aparente, les puede conducir a la desesperación o al suicidio.

Otra de las causas de infelicidad más común y que hunde sus raíces en los mismos orígenes de la especie humana es la envidia, que nuestra Academia define como tristeza o pesar del bien ajeno o como deseo de algo que no se posee, y que para el filósofo y Premio Nobel de Literatura Bertrand Rusell era una de las más fuertes causas de infelicidad. El envidioso no es desgraciado por no poseer él mismo algo que le pueda hacer feliz, sino porque lo poseen los otros, lo que le lleva a obsesionarse y dejar de vivir su propia vida para estar pendiente de la vida de los demás y de su entorno. Así, la infelicidad está plenamente garantizada.

Otro elemento ligado a la misma esencia de la naturaleza humana es el sentimiento de culpa, que en ciertos casos alcanza niveles patológicos haciendo que algunas personas se sientan permanente juzgadas y culpadas por su incapacidad para hacer las cosas correctamente. Una situación que tiene bastante que ver con otra razón relativamente común de infelicidad cual es la manía persecutoria, entendida esta como la sensación de que todo está contra el individuo que padece esta sensación, provocando que las cosas le salgan mal, cerrándole cualquier posibilidad de acceso a la felicidad y autorrealización.

Relacionadas más con la sociedad contemporánea que con la naturaleza humana, hay tres razones que limitan las potencialidades de felicidad: el miedo al qué dirán, el estrés y el exceso de competitividad.

Aunque el miedo al qué dirán fue durante mucho tiempo problema estrechamente ligado a sociedades de pequeño tamaño, cerradas o rurales, hoy es algo extendido a los medios urbanos y cosmopolitas debido, fundamentalmente, a la inmediatez y extensión de los medios de comunicación, que muchas veces ponen la vida íntima en el tablero de lo público, sometiendo a los individuos a un juicio moral constante y perturbador, que produce inseguridad e infelicidad.

Respecto al estrés, común en toda época a personas indecisas, timoratas y temerosas de tomar decisiones, con los precipitados ritmos que ha impuesto la vida y las relaciones contemporáneas, ha adquirido proporciones inimaginables como fuente de infelicidad.

Por último y en estrecha relación con la anterior, una razón de infelicidad bastante común se deriva de la enajenada carrera que tantos emprenden por alcanzar metas de éxito económico y social. Bajo el lema no escrito de competir o perecer, algunos individuos dedican sus mejores cualidades y sus máximos esfuerzos a conseguir quimeras que les obligan a desatender relaciones personales y familiares, lo que les hace perder raíces e identidad, al tiempo que les desubica, les aleja de la realidad y les lleva a tomar finalmente conciencia de lo absurdo de su proyecto vital.

LA COMIDA COMO FUENTE DE FELICIDAD Y PLACER DEL TÓPICO VILLANO

En general, es común asociar la felicidad a la falta de objetivos y la autolimitación vital, a veces voluntaria, pero generalmente impuesta. Así, el científico y pensador francés Jean Le Rond D'Alembert, gran cima de la Ilustración, escribió: "*¿Quién es feliz?... Algún miserable*". Una sentencia que entronca con la vieja narración mítica del apólogo de un rey a quien, para que pudiera curarse de sus males, se le aconsejó que llevara durante algún tiempo la camisa de un hombre feliz. Sus cortesanos y vasallos buscaron denodadamente a alguien que cumpliera tal requisito para pedirle su camisa, pero buscaron en vano porque parecía que no existía persona alguna que fuera verdaderamente feliz. Pasado el tiempo y ya a punto de rendirse ante la inabordable magnitud de la empresa, en lo más profundo de un bosque descubrieron que vivía un hombre feliz, pero el alma se le cayó los pies cuando constataron que aquel hombre jamás había poseído una camisa.

Si la felicidad, para la mayoría de los pensadores, no es más que una quimera o una vana y efímera ilusión, la felicidad ligada a la comida se concibe como patrimonio de gente tosca y vulgar. En este punto, el modelo y paradigma es la pareja formada por Don Quijote y Sancho. El escudero, a quien muchos han considerado el alma gastronómica de la inmortal novela de Miguel de Cervantes, vive obsesionado con la comida y el hartazgo, mientras que su amo, orgulloso hidalgo, es apóstol de la mesura en el yantar y pródigo en consejos del tipo:

"Come poco y cena más poco, que la salud del todo el cuerpo se fragua en la oficina del estómago". Así, cuando ambos intentan reponerse del atropello por una partida de toros bravos, el caballero de la triste figura le dice a su vasallo: "Come, Sancho amigo, sustenta la vida, que más que a mí te importa (.) Yo, Sancho, nací para vivir muriendo, y tú para morir comiendo", a lo que el buen escudero, cuyo lema no dejará de ser nunca el de "Muera Marta y muera harta", responde flemático: "Yo, a lo menos, no pienso matarme a mí mismo (…) yo tiraré mi vida comiendo hasta que llegue al fin que le tiene determinado el cielo".

Conseguir felicidad y placer por medio el condumio y el yantar parecería pues recurso de villanía y vileza, pero la realidad es muy otra, porque no han sido pocos los grandes hombres y mujeres que aun habiendo gozado de genio, fama, poder y riqueza, situaron su meta gozosa ante una mesa bien surtida o un plato delicadamente elaborado. Como muestra, valgan estos tres botones de uno de los más grandes compositores operísticos de todos los tiempos, una mujer que ostentó la máxima influencia política en el mundo conocido de su tiempo, y un intérprete musical excepcional y genial.

LA VERDADERA PASIÓN COQUINARIA DE ROSSINI

Según propia confesión, Gioacchino Rossini, el extraordinario prodigio musical que a los catorce años compuso su primera ópera, *Demetrio e Polibio*, solo lloro desconsoladamente cuatro veces en su vida: en el desastroso estreno de *El barbero de Sevilla*, en el Teatro *Argentina* de Roma; cuando murió su padre Giuseppe "Vivazza"; oyendo interpretar un aria bellísima a su amigo Michele Caraza; y cuando durante una excursión campestre por los alrededores de Bolonia, se le cayó al río el pavo trufado que llevaba para el almuerzo. Desconcertado y profundamente deprimido, no consistió en compartir las viandas que sus compañeros le ofrecían y volvió a casa sollozando.

El autor de, entre otras, *El barbero de Sevilla*, *La Cenerentola*, *Otello* y *Guillermo Tell*, dejó de componer óperas en 1831 para dedicarse a su verdadera pasión, la gastronomía, arte en el que no se limitó a representar el papel de "gourmet", sino que extendió su afición a la preparación coquinaria, llegando a ser un virtuoso en la confección de un sinnúmero de recetas tradicionales, especialmente de los macarrones y el tournedó que hoy ostentan su nombre como adjetivo. El músico genial fue además un comensal de excelente saque. En cierta ocasión, una dama distinguida, pero poco espléndida en los banquetes que ofrecía en sus salones, le invitó a cenar en su mansión. El ágape fue cuidado, aunque bastante escaso en sus porciones. Cuando la señora salió a la puerta a despedir al maestro, le dijo: "Espero que vuelva usted a comer muy pronto a mi casa". Rossini respondió al punto: "Ahora mismo, señora… si no le molesta".

EL CONDUMIO COMO ÉXTASIS DE PLACER EN UNA GRAN REINA DE FRANCIA

Catalina de Médici, esposa del rey Enrique II de Francia y madre de tres reyes consecutivos, Francisco II, Carlos IX y Enrique III, siempre consideró que la fuente máxima de placer y felicidad era una relación sexual satisfactoria y que para alcanzar la plenitud en el acto era de todo punto indispensable el concurso de los alimentos y la cocina.

Catalina, la indiscutida protagonista de la revolución que impulsó la "gran cocina" europea del Renacimiento, llevó a Francia desde su Florencia natal nuevos estilos de yantar y la norma de que damas y caballeros compartieran mesa, pero además introdujo nuevos productos, como el azafrán y la alcachofa, haciendo de esta última un icono erotógeno y afrodisíaco, al punto de que en una boda celebrada en 1576 estuvo a punto de morir a cuenta de un atracón de corazones de alcachofa con crestas de gallo, su plato preferido.

En la Corte del último de sus hijos reinantes, Enrique III, tuvo lugar en 1577 la conocida como "Noche de Chennonceaux", en cuyo castillo, cerca de Tours, se ofreció un banquete a la nobleza en el que cortesanas muy ligeramente vestidas y con el pelo suelto (detalle de extrema sensualidad en un tiempo en el que las señoras llevaban el pelo recogido en cofias y tocados) sirvieron fuentes de alcachofas a los comensales. El broche al espectáculo lo puso el propio rey al aparecer vestido con un jubón de damasco rosa y luciendo pendientes de perlas. La afición por la alcachofa se extendió entre la nobleza y las clases altas como bocado excéntrico y sensual.

Una popularidad que pronto se extendió desde los salones cortesanos a las calles de París, donde los vendedores pregonaban el producto al grito de: *"Artichauts, artichauts,/ C'est pour Monsieur,/ et pour Madame,/ Por rechauffer le corps et l'ame, et pour avoir le cul chaud"*. Dentro de esa misma corriente, en 1576 Bartolomeo Boldo publicó su *"Libro de la Naturaleza"*, donde escribe que la alcachofa: *"... tiene la virtud de provocar a Venus en mujeres y hombres; en las mujeres hace aumentar el deseo, al tiempo que ayuda a los hombres a prolongar los impulsos amatorios"*.

EL PLATO DE LA COTIDIANIDAD GENIAL DE UN TROMPETISTA DE JAZZ

Para uno de las más altas cimas del jazz de todos los tiempos, Louis Armstrong, la felicidad y el placer se relacionaban con la comida sencilla y cotidiana, y muy especialmente con uno de los platos más típicos de su ciudad natal.

La gastronomía de Nueva Orleáns, en el Estado norteamericano de Louisiana, se basa en dos grandes líneas o culturas culinarias, la cajún y la criolla, surgidas, respectivamente, de la tradición francesa más agraria y provincial, y la más cosmopolita y ligada a las elites aristócratas y adineradas. De ésta última son bandera, santo y seña platos como el Po'boy, el Gumbo, la Jambalaya y Red beans and rice, Arroz con judías rojas, plato mundialmente afamado, entre otras cosas por haber sido el preferido del cornetista, trompetista, cantante y director de jazz Louis Armstrong, y cuyos ingredientes y preparación devienen en una fórmula que en distintas partes de España se conoce como Arroz con habichuelas o Empedrao, en Cuba como Moros y cristianos, y en Perú como Tacu-tacu.

En los inicios de su carrera a Louis se le conocía por el cariñoso apodo de "Dippermouth" o boca de cucharón, pero en 1932, Percy Brooks, entonces editor de la revista *Melody Maker*, empezó a llamarle "Satchmo" y el nuevo sobrenombre hizo total fortuna entre sus amigos, allegados y gran público, aunque siempre conviviendo con el alias "Pops". "Satchmo" es una forma abreviada o sincopada de "satchelmouth", que significa boca de bolsa y que con el tiempo también pasó a ser el nombre con el que la tercera esposa de Louis, Lucille Wilson, llamaba precisamente al plato que hacía las delicias de su marido, las alubias o fríjoles con arroz, y que llegó a gustarle hasta un punto que le llevó a usarlo como fórmula de despedida en sus cartas: *"... red beans and ricely tours"*; algo así como *"... judías rojas y arrozmente tuyo"*.

LOS APÓSTOLES
DEL MOOD FOOD

Evidentemente, la comida preparada y cocinada para regalar y hacer feliz al comensal es materia y objetivo común a cualquier chef o chefesa que se precie, pero los que aquí aparecen deben ser considerados y consideradas como apóstoles (lástima que aún no se haya consolidado el neologismo apóstola) de una tendencia emergente que concreta tales propósitos en la combinación de ingredientes alimentarios y técnicas de elaboración, atendiendo a las probadas virtudes de ciertos alimentos, para a través de sus nutrientes específicos y principios activos, promover el confort espiritual, el placer sensorial, el bienestar psicológico y el buen humor; en definitiva, la voluntad de crear sus platos con una filosofía *mood food*.

Que sean dieciséis podría chocar a los no avisados, porque el acervo popular siempre se refiere a doce como el número de los que fueron escogidos por Jesús para que estuvieran con él y después predicaran su palabra y doctrina, pero en sentido estricto a los doce iniciales hay que añadir a Matías, sucesor de Judas Iscariote o hijo de Simón, elegido por sorteo en el monte de la sangre tras la defección y suicidio de este, junto a Pablo de Tarso y a Bernabé, considerados también apóstoles en el *Nuevo Testamento* y en los *Hechos de los Apóstoles*, y a María Magdalena, a quien aunque la Iglesia no la

haya querido reconocer oficialmente como "apóstol", no se sabe si por haber sido pescadera como la inmensa mayoría de las mujeres de Magdala, su ciudad natal, o simplemente por el hecho de ser mujer, reúne o reunió todos los requisitos para que se la considerara como tal y a ello añadió que fue la única de los que "andaban con Jesús" que estuvo presente en su muerte y resurrección. De manera que, ahorrándole cuentas al lector, todo ello da un total de dieciséis apóstoles, diga lo que diga el cálculo popular.

Así pues, nos, haciendo uso y disfrute del *pluralis maiestatis*, decidimos que estos son los dieciséis enviad@s y elegid@s para predicar este nuevo evangelio, palabra que en su origen es suma de las voces bien y mensaje, y que ahora, pasado de moda el griego clásico e inmersos en el inglés como lengua franca, llamamos *mood food*.

Entre ellos hay rutilantes estrellas de la galaxia internacional y otras que emergen con poderosa luz, chefs muy reputados, otros menos e incluso algún casi desconocido, pero todos valientes y perseverantes arcadios, valga la redundancia, dotados de un espíritu preclaro y animosa voluntad para poner grandes piedras o granitos de arena en la construcción de este edificio de comida apetitosa, saludable y optimista. Que de menos nos hizo Dios.

GIANNI BUCCOLO

Hace algunos años que Gianni emprendió en Madrid la aventura de ofrecer platos napolitanos en un pequeño restaurante de la extinta Costa Fleming y en un contexto de generalizada desnaturalización y reducción a lo más banal de la cocina italiana. No ha sido fácil, claro, porque el salto de la pasta de baratillo y las salsas de bote al producto de gran calidad y preparaciones de compaña con alimentos originales y elaboración artesana, por precio, por desinformación palatal o por vaya usted a saber, no suele estar al alcance de todos los comensales. Pero poco a poco, las redes sociales y el boca a boca han ido consolidando la oferta de su gastrobar y restaurante *Amalfi*, reflejo de una afición coquinaria nacida en los domingos de infancia en los que nunca faltaban a la mesa menos de diez a quince familiares y amigos, tras años de vida profesional en la venta al por mayor de ropa y la inversión inmobiliaria.

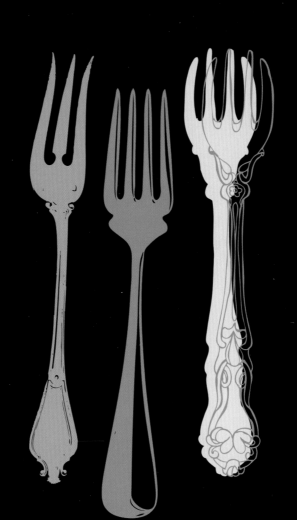

Una propuesta de Gianni, con marcado aroma y sabor italianos, que empieza con un bocado, **Burrata de búfala con trufa**, en el que el ingrediente fundamental es un tipo de queso fresco originario de la región de Puglia, que se elabora con leche de búfala y suero lácteo caliente y del que resulta una masa suave y de sabor parecido al de la mozzarella, algo dulce, aunque de textura es algo más mantecosa. Un bocado que aporta una sensible cantidad de animoso triptófano, proteínas reconstructoras de alto valor biológico y fósforo, mineral que forma parte de los fosfolípidos que ayudan a las neuronas a comunicarse entre sí y a mejorar el rendimiento intelectual, la concentración y la memoria, y que se acompaña en el plato de tomate natural, rico en fenilalanina, activadora de la norepifedrina cerebral, que aúpa el estado de ánimo y prolonga el buen humor, ralentizando el proceso de descomposición de las endorfinas.

Sigue un principal, **Fetuccine a la cardinale**, que además de la circunstancia anecdótica de ser el plato preferido del Papa Benedicto XVI, resignadamente alejado de los dulces postres alemanes en su condición de diabético, está construido con pasta, generosa en carbohidratos complejos, que aportan al comensal energía y vigor, activan la producción de serotonina cerebral, alejan la sensación de angustia y estrés, y mejoran el estado general de ánimo. Además, también contiene tomate, con las propiedades y beneficios antedichos, y hojas de albahaca fresca, también presentes en el entrante, que ostentan propiedades antiinflamatorias y en consecuencia actúan como freno de multitud de dolencias que son fuente de disconfort.

Por último, el postre, **Tarta de la Nonna**, es una fusión de piñones y sobre todo energéticas almendras, que son un seguro para afrontar requerimientos de gran desgaste físico y psíquico, con gran riqueza en fenilalanina, que favorece los estados de ánimo positivos y ayuda a prolongar el buen humor, y en vitaminas del grupo B, sobre todo B1, B3, B6, y ácido fólico, que en equipo actúan como equilibradoras del sistema nervioso central; y en magnesio, mineral que, participa en el metabolismo energético y en la transmisión del impulso nervioso, lo que ayuda a reducir el estrés y mejorar el estado de ánimo.

ENSALADA
DE BURRATA DE BÚFALA CON TRUFA

INGREDIENTES

- 200 gr de burrata de búfala de trufa
- 4 tomates raf
- 2 docenas de hojas de albahaca fresca
- Aceite de oliva virgen
- Sal y pimienta al gusto

ELABORACIÓN

En un plato grande, colocar la burrata de trufa en el centro del plato y cortarla ligeramente en cuatro (la burrata luego se abre naturalmente).

Triturar el tomate fresco y ponerlo a los lados.
A continuación adornar con hojas de albahaca fresca.

Rociar la ensalada con aceite de oliva extra virgen y salpimentar.

FETUCCINE
A LA CARDINALE

INGREDIENTES

- ½ kg de fetuccine al huevo
- ½ kg de tomates muy maduros
- 30 gr de mantequilla
- 2 dientes de ajo
- 100 gr de prosciutto di Parma cortado en trozos
- 1 brick de nata
- 4 cucharadas de aceite de oliva virgen
- Albahaca seca molida al gusto
- 50 gr de queso parmesano rallado
- 8 hojitas de albahaca fresca

ELABORACIÓN

En una sartén con 4 cucharadas de aceite de oliva virgen caliente se echan 2 dientes de ajo, los tomates pelados y despepitados y la albahaca seca molida, dejando hacer todo a fuego muy lento durante una media hora. Se reserva.

En sartén aparte se derrite la mantequilla y se ponen los trocitos de prosciutto di Parma a fuego muy lento, durante unos 3 minutos. Seguidamente se añade la salsa anterior, se retiran los ajos y se añade la nata, removiendo muy poco a poco con una espátula. Cuando está espeso, se añade el queso Parmesano hasta que se derrita.

Mientras, en una cacerola con agua y sal se cuecen los fetuccine entre 3 y 4 minutos, para que queden al dente. A continuación, se sacan y escurren bien, se vierten en platos individuales y sobre cada uno de ellos se vierte la salsa a la Cardinale y se decora con un par de ramitas de albahaca fresca.

TARTA DE LA NONNA

INGREDIENTES

Para la masa:

- 200 gr mantequilla
- 400 gr de harina
- 1 pizca sal
- 3 yemas huevo
- 150 gr de azúcar

Para la crema:

- 120 gr harina
- 1 litro de leche
- Ralladura de limón
- 8 yemas de huevo
- 350 gr de azúcar
- 1 rama de vainilla
- Piñones y azúcar glass

ELABORACIÓN

Se mezclan y amasan bien los ingredientes de la masa, se tapan y se dejan en la nevera.

Para la crema se hierve la leche a fuego lento con la ralladura de limón y la vainilla.

Se baten las yemas de huevo con el azúcar y se incorpora la harina despacio.

Se echa esta masa en la leche mientras se bate y se pone a fuego lento hasta que se forme una crema.

Se saca la masa de la nevera, se estira y se divide en dos círculos.

Se engrasa un molde con mantequilla y harina y se pone una de las tapas de la masa.

Se rellena con la crema. Se tapa la tarta con la otra capa de masa.

Se espolvorean los piñones y se pone en el horno a 180°C durante 45 minutos.

CARLOS DURÁN

Actualmente Chef Ejecutivo del Grupo *Fabula Buey & Champagne,* en Madrid, aúna juventud, experiencia y un ansia fiera, además de en la manera de mirar, como en el tango, por competir y participar en la buena lid concursiva. De la primera parte de su carrera profesional destaca su paso por restaurantes como el *Buhle* de Oporto, los londinenses *Lumine*, *Ene*, y *Henneasy;* y algunas de las más acreditadas cadenas hoteleras, tales como, *Relais&Chateux*, *Hesperia*, *Deveres* o *Sheraton*. En cuanto a su espíritu competitivo, en alguna medida se traduce en el Oro que logró en Teruel durante el Campeonato de España "Con gusto Mudéjar 2011", la tercera posición en el Campeonato de España del Ajo Morado del mismo año, o el reconocimiento como Mejor Plato de Marisco en el Certamen Nacional Anzuelo de Oro 2010. Sin entregar alma y vida a lo mediático, tiene su propio espacio en pantalla, *La cuina de anaxágoras*, en Catalana TV.

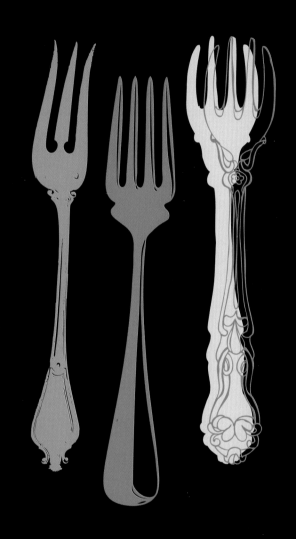

Una propuesta de riesgo, aunque medido, que empieza con un muy sugerente **Torrefacto de piñones tostados, café y cebolleta tierna**, en el que toman protagonismo *mood* y casi a partes iguales los piñones, fuente de vitamina B1 o tiamina, que ayuda a obtener energía a partir de los hidratos de carbono y es esencial para mejorar la eficacia de las terminaciones nerviosas y su conexión con los neurotransmisores, lo que constituye un freno a la irritabilidad; y la yema de huevo que finalmente decora la receta, excepcionalmente rica en acetilcolina, un alimento de primer orden para la memoria y un bálsamo para la confusión mental.

El plato principal, **Bacalao negro confitado, tartar de espinacas, almejas y su jugo**, pone sobre la mesa y para empezar, el bacalao, que aporta una estimable cantidad de ácidos grasos omega-3, cardiosaludables y protectores de la mielina, vaina que protege a los nervios, y una buena dosis de vitamina B6, que facilita la absorción del triptófano. Por su parte, las espinacas son generosas en fenilalanina, que aumenta y activa la producción de norepidefrina cerebral; en tirosina, fundamental para alejar el riego de estados depresivos; y en vitamina B6,

que ordena el funcionamiento del sistema nervioso central. Por su parte, los ajos, también aportan fenilalanina, junto a magnesio, vitamina B6, ácido fólico, triptófano y selenio, que en su conjunto ayudan a incrementar el nivel de serotonina cerebral, contribuyendo a combatir el estrés y los estados depresivos, suben el ánimo y mejoran el tono general. Finalmente, la almeja es, como es sabido, uno de los alimentos animales más ricos en vitamina B12 o colabamina, esencial para el buen estado del sistema nervioso.

Como colofón, el postre, **El paisaje de chocolate**, además de volver a incluir las esencias memorísticas del huevo en forma de acetilcolina, tiene como estrella el chocolate negro, principal aporte de teobromina, un alcaloide muy próximo en su composición a la teofilina y a la cafeína, que estimula el sistema nervioso central, produce broncodilatación y diversos efectos cardiovasculares, pero que, fundamentalmente y a estos efectos *mood*, es un eficaz antiestresante y favorecedor activo de la producción de serotonina.

TORREFACTO
DE PIÑONES TOSTADOS CAFÉ Y CEBOLLETA TIERNA

INGREDIENTES

Para la crema:

- 100 gr de piñones tostados
- 1 kg de cebolleta tierna
- 1 l de nata
- 100 ml de café
- 100 mantequilla
- 1 litro de caldo de ave

Para la guarnición:

- Cebolleta pochada
- Yema de corral
- Sal ahumada

ELABORACIÓN

Rehogar y pochar todos los ingredientes con la mantequilla, una vez pochado añadir el caldo y la nata. Dejar cocer por espacio de 15 minutos a fuego suave, añadir el café y triturar. Poner de nuevo al fuego a punto de sal y de café y ligar. Colar por un colador y mantener caliente. En un plato hondo se pone en medio la cebolleta pochada y encima la yema de huevo atemperada, se espolvorea con piñones y se decora con brotes.

BACALAO NEGRO
CONFITADO A 65ºC, TARTAR DE ESPINACAS, ALMEJAS Y SU JUGO

INGREDIENTES

Para el bacalao negro:

- 160 gr de bacalao negro
- 300 ml de soja 50% bajo en sal
- 1 dl de aceite de sésamo tostado

Para el tartar de espinacas:

- 300 gr de espinacas
- 1 manojo de cebollino
- 2 limones
- 4 dientes de ajo (picado)

Para las almejas:

- 250 gr de almejas
- Un chorrito de vino blanco
- 1 limón
- Sal
- 6 gr de lecitina de soja

ELABORACIÓN

Marinar el bacalao en la soja por espacio de 24 horas.

Escaldar y blanquear las espinacas. Escurrirlas, cortarlas y saltearlas con ajo, limón y cebollino.

Abrir las almejas con vino blanco sal y limón. Escurrirlas y añadir 100 ml de agua y 6 gr de lecitina de soja. Dejar hervir por espacio de 3 minutos y con ayuda de la túrmix pequeña emulsionar para sacar burbujas (han de dejar que se reposen para que podamos retirarlas con ayuda de una cuchara).

En un plato se pone un poco del salteado de espinacas y se va intercalando de almejas. Sacar el bacalao de la sartén con aceite que ha de estar a 65º durante 8 minutos. Escurrirlo y colocarlo en el plato y añadir tres cucharadas de aire de jugo de las almejas. Sazonar con escamas de sal. Y decorar con brotes y flores.

EL PAISAJE
DE CHOCOLATE

INGREDIENTES

Para la arena:

- 400 gr huevos
- 165 gr de azúcar
- 175 gr de harina
- 500 gr de chocolate 71% M.G
- 400 gr de mantequilla

Para la base blanca del cremoso de chocolate:

- 1 litro de nata
- 6 yemas
- 2 huevos
- 2 cucharadas de fresas picadas
- 125 gr de azúcar
- 780 gr de chocolate ivore (35% M.G)

Para el montaje y la presentación:

- 100 gr de azúcar fondan
- 100 gr de azúcar isomalt
- 30 ml de zumo piña
- 30 gr de sésamo tostado

ELABORACIÓN

Para la arena:

Se montan los huevos hasta triplicar el tamaño con el azúcar por acción del batido. Por otro lado derretir la mantequilla y la cobertura en el microondas por espacio de 3 minutos. Diluirlos y mezclarlo con los huevos ya montados. Una vez montados añadir la harina poco a poco con ayuda de un tamiz para que no deje grumo. Hornear a 190ºC por espacio de 17 minutos.

Para la base blanca del cremoso de chocolate:

Calentar en un cazo la nata y blanquear los huevos y las yemas con el azúcar. Una vez blanqueados añadir la nata caliente, subir la crema inglesa a 83ºC con cuidado de que no se corte, añadir el chocolate en frío fuera del fuego y reservar... Cuando baje la temperatura incorporar dos cucharadas de fresas picadas y remover.

Montaje y presentación:

Mezclar el azúcar fondan y el azúcar isomalt añadir el zumo y el sésamo. En un cazo poner a fuego y calentarlo hasta que suba a 182ºC. Estirar en una bandeja con un tapete de silicona para darle forma una vez que vaya estirando.

En una pizarra o en un plato trinchero, ponemos un poco de compota de frambuesa y cubrimos con un montículo de arena de chocolate; y encima colocamos una bola de cremoso de chocolate blanco. Refrescar con brotes y flores.

JOAQUÍN FELIPE

Orgulloso discípulo del chef Luis Irizar y formado en su Escuela de San Sebastián, su devenir profesional comenzó en el catering de *Paradís*, en Madrid, donde ocupó el puesto de Jefe de Cocina y Jefe del Centro de Producción, para después ponerse al frente de la cocina del restaurante *El Chaflán*, cerrando un periodo en el que pudo sintetizar creativamente la experiencia de montajes multitudinarios con la del contacto en proximidad en un local de alto nivel gastronómico. Finalizada esa etapa, pasó a integrarse como Jefe de Cocina del hotel *Villarreal* y del restaurante *Europa Decó* del hotel *Urban* de Madrid, donde ha desarrollado una espectacular labor de puesta en valor de la cocina mediterránea de vanguardia. Ávido de nuevos retos profesionales, desde octubre de 2012 tiene su propio restaurante, *Joaquín Felipe*, en la planta superior del *Isabela Gourmet Market*, a unos pasos del corazón financiero de Madrid.

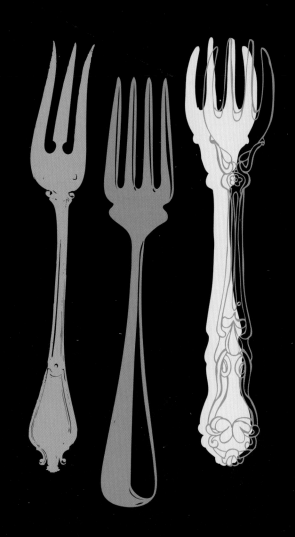

Un menú antófilo, que es como propiamente habría que llamar al linaje de insectos que aman las flores y que convierten el fino polvillo del néctar en tres excepcionales productos que han servido de sustento a la especie humana desde los albores de su evolución.

En el entrante, **Cangrejos fritos de concha blanda a la miel**, el protagonismo corresponde a la miel de espliego, cuyo sabor dulzón y aromas de lavanda combina perfectamente con fritos y salsas de aves, pero que en este caso y a los efectos de un plato *mood food* se vierten sobre la vitamina B12 de los cangrejos, que participa en la síntesis de neurotransmisores cerebrales y sirve para conservar en buen estado la mielina, vaina que protege los nervios y los axones de las neuronas, permitiendo la transmisión de los impulsos nerviosos, y el ácido fólico de los brotes, que al aumentar los niveles de serotonina mejora el estado general de ánimo y evita la depresión. A ello se suma claro, el efecto calmante de la miel, muy útil en estados de nerviosismo y ansiedad.

En el siguiente plato, **Verduras de temporada al wok con polen**, sienta plaza el polen, regulador intestinal que facilita la absorción intestinal de los nutrientes y previene el decaimiento físico y mental, para acompañar a una amplia gama de verduras muy ligeramente cocinadas en la típica sartén que se emplea en el Extremo Oriente y el Sureste Asiático, para que conserven su frescura palatal y el salutífero efecto de sus vitaminas y minerales.

Cierra plaza una **Sopa de yogur y albahaca con jalea real**, en la que destacan los efectos terapéuticos del yogur, un alimento prebiótico cuyas bacterias vivas contribuyen a equilibrar la flora bacteriana del intestino y a mejorar el sistema de defensas contra infecciones y otras enfermedades que suelen ser motivo de irritabilidad y mal humor, muy rico en proteínas de alto valor biológico, calcio de fácil asimilación, vitaminas del grupo B, fundamentales para equilibrar el sistema nervioso, vitamina A, que estimula las funciones inmunes, y D, que ayuda a fijar el calcio de huesos y dientes; junto a las muchas saludables bondades de la jalea real, riquísima en vitaminas del grupo B, con una importante función antibiótica que modula el sistema de defensas, al tiempo que tonifica y equilibra el sistema nervioso.

CANGREJOS FRITOS
DE CONCHA BLANDA A LA MIEL

INGREDIENTES

- 4 cangrejos
- ¼ kg de harina
- 1 bolsa de brotes
- ½ l de aceite de oliva
- 150 gr de miel de espliego
- Escamas de sal

ELABORACIÓN

Se cortan los cangrejos en cuartos y se pasan por la miel atemperada.

Se deja enfriar la miel y se hace una tempura con harina y agua fría. Se pasan y se fríen bien crujientes.

El plato se acompaña con una ensalada de brotes y unas escamas de sal.

VERDURAS
DE TEMPORADA AL WOK CON POLEN

INGREDIENTES

- 1 kg de aproximadamente unas 10 verduras de temporada
- 100 gr polen
- 1 dl de aceite de oliva
- Sal

ELABORACIÓN

Se cogen las verduras de temporada como zanahorias, calabacín, calabaza, judías verdes, tirabeques, espárrago verde, brócoli, coliflor, rabanitos, mini mazorcas, etc., se limpian y se cortan.

Se sazonan y se saltean con un poco de aceite en el wok.

Después, se pasa el polen por un molinillo eléctrico para dejarlo en polvo y según se va emplatando, se rocían los platos con el polvo de polen.

SOPA DE YOGUR
Y ALBAHACA CON JALEA REAL

INGREDIENTES

- 150 gr de chocolate
- 200 gr de yogur natural diluido con un poco de nata
- 200 gr de galleta de mantequilla
- 200 gr de helado de vainilla
- 50 gr de liofilizado de frambuesa
- 400 mg de jalea real
- 6 hojas de albahaca fresca

Ingredientes para la crema de limón:

- 1 l de leche
- 200 gr de azúcar
- 100 gr de harina
- 100 gr de zumo de limón
- Piel de limón rallada
- 2 yemas de huevo
- 200 gr de mantequilla

ELABORACIÓN

Se derrite la mantequilla, se añade la harina y después la leche, el azúcar, las yemas, el zumo de limón y la piel rallada, y se cocina hasta obtener una crema homogénea.

A continuación se funde el chocolate y se estira sobre un papel de cocina para obtener el crujiente.

Seguidamente se mezcla la sopa de yogur con la jalea real.

Se monta todo en un plato sopero con la crema de limón, las galletas o strudel picados, poniendo encima una bola de vainilla con el crujiente de chocolate, alrededor la sopa de yogur y las hojas de albahaca picadas por encima con los liofilizados de frambuesa.

PUGON DE MANILA

8017 MAIN ST STE 250
HOUSTON, TX 77025
713 664 7227

07-Sep-2018 7:58:18P

Transaction 101901

1	Combo w/ Drink	$8.99
1	Pork Small Ulam	$6.99

Subtotal	$15.98
Tax	$1.32
Total	$17.30

CREDIT CARD AUTH $17.30
VISA 0679

07-Sep-2018 7:58:29P
$17.30 | Method: SWIPED
VISA XXXXXXXXXXXX0679
CLAUDIA YANETH OCHOA
Ref # 825100650040 | Auth # 085820
MID: ********5884
AthNtwkNm: VISA
NO CARDHOLDER VERIFICATION

Order PWV6RFW1974BY

Online https://clover.com/
p/6HPK9R75MD8E6

TERESA GUTIÉRREZ

Nacida en Madrid, de padre granadino y madre manchega, se crió y ensoleró en Villarrobledo (Albacete), donde desde 2008 inspira y dirige el equipo culinario totalmente femenino del restaurante *Azafrán*, del que es propietaria y chefesa. Teresa iba para odontóloga pero un buen día decidió dejar a un lado las espátulas y pinzas dentales para dedicarse de lleno a la cocina, empezando su formación en las Escuelas de Hostelería de Valencia y Avignon, que completó posteriormente en restaurantes como *Albacar* y *La Sucursal*, de Valencia; *El Faro del Puerto*, en el Puerto de Santamaría (Cádiz) y Las Rejas, de Manuel de la Osa, en Las Pedroñeras, Cuenca. Su cocina hunde raíces en la tradición coquinaria manchega, incorporando toques de contemporaneidad bien medida y singularidad creativa, poniendo el acento en los productos autóctonos de calidad, y cuidando el equilibrio gastronómico-nutricional, desde su sólida formación como dietista.

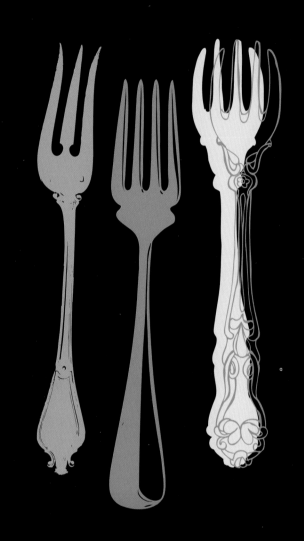

Los sólidos conocimientos dietéticos de Teresa, junto a su compromiso de elaboración de un menú netamente *mood food*, saltan inmediatamente a la vista revisando los ingredientes y ensamblajes de la propuesta que se manifiesta como un verdadero compendio temático. En el **Salteado de sepia y champiñones con crema de patata asada, calabaza y huevo escalfado**, aparecen la sepia, rica en magnesio, antidepresivo natural, y la vitamina B12, encargada de transformar los ácidos grasos en energía, sintetizar neurotransmisores, y conservar en forma la mielina para permitir la mejor transmisión de los impulsos nerviosos; los champiñones, fuente de vitaminas del grupo B, especialmente B2 y B3, que contribuyen a mantener en forma el sistema nervioso; y de zinc, que actúa como calmante; la patata asada, que aporta el vigor energético de sus hidratos de carbono complejos; la calabaza, generosa en provitamina A, muy interesante para el sistema nervioso; y magnesio, que actúa contra los estados de estrés e irritabilidad; y el huevo, fuente de acetilcolina que refresca y agiliza la memoria.

Por lo que respecta al *main*, **Lomo de cerdo en adobo con setas y migas de pan integral**, el comensal se encuentra con una de las mejores fuentes, el lomo de cerdo, de triptófano, que promueve y libera el neurotransmisor serotonina, directamente involucrado en la regulación del sueño, el bienestar psicológico, y el placer; y con migas de pan integral, que son fuente de energéticos hidratos de carbono; de fibra, que evita los riesgos de estreñimiento y el consiguiente mal humor que le acompaña; de vitamina B1 que evita estados de decaimiento, desánimo, irritabilidad, ansiedad, cansancio intelectual, y depresión; de vitamina B6 o piridoxina, que favorece la asimilación del triptófano y mantiene el sistema nervioso en buen estado; y de ácido fólico, muy útil para mejorar el estado general de ánimo y evitar la depresión.

Como colofón, **Bizcocho soufflé de chocolate y azafrán**, donde aparecen ampliamente las propiedades del chocolate, principal fuente de teobromina, un estimulador del sistema nervioso central e inductor de sensaciones de tranquilidad, relajación y felicidad, con una acción antiestrés que aumenta la sensación de placer y buen humor.

SALTEADO DE SEPIA
Y CHAMPIÑONES CON CREMA DE PATATA ASADA, CALABAZA Y HUEVO ESCALFADO

INGREDIENTES

Para 4 personas:

- 500 gr de sepia, sin limpiar
- 350 gr de champiñones
- 150 gr de ajos tiernos
- 50 ml de vino blanco
- 1 guindilla
- 200 gr de tomate
- 200 gr de patata
- 100 gr de calabaza
- 50 ml de leche desnatada
- Aceite de oliva, sal, pimienta en grano, cominos molidos, laurel
- 4 huevos de corral

ELABORACIÓN

Salsa:

Ponemos en un cazo las aletas y patas de la sepia, los troncos de champiñones, el tomate troceado, una cucharada pequeña de la pimienta en grano, laurel, sal y un poco de aceite, el vino blanco y cubrimos de agua.

Dejamos reducir a fuego lento durante una hora. Retiramos el laurel y la sepia, y trituramos lo demás hasta obtener una salsa ligera y homogénea.

Crema de patata:

Asamos las patatas y la calabaza enteras en el horno durante 45 minutos. Hacemos un puré con un poco de sal, cominos y la leche desnatada, hasta obtener una consistencia cremosa y agradable.

Elaboración final:

Cortamos la sepia en tiras, el champiñón en láminas y troceamos los ajos tiernos.

Ponemos en una sartén un poco de aceite, y vamos añadiendo ingredientes en este orden: guindilla, sepia, ajos tiernos y champiñones, sin dejar de saltear y a fuego fuerte, con un poco de sal.

Escalfamos un huevo por persona en agua hirviendo con un poco de vinagre.

Colocamos en el fondo de cada plato una cucharada de crema de patata y calabaza, encima una cucharada de salteado de sepia y encima un huevo escalfado.

Salseamos ligeramente alrededor, y listo.

LOMO DE CERDO
EN ADOBO CON SETAS Y MIGAS DE PAN INTEGRAL

INGREDIENTES

Para 4 personas:

- 400 gr de lomo de cerdo (sin la grasa)
- 100 gr de pimiento rojo
- 250 gr de pan integral del día anterior
- 80 gr de jamón serrano
- 2 dientes de ajo
- 150 gramos de setas variadas
- 1 manzana
- Aceite de oliva, sal

Adobo 1:

- 1 cucharada de cominos
- 1 cucharada de orégano
- 1 cucharada de pimentón ahumado
- 3 hojas de laurel
- 100 ml de vinagre
- 100 ml de vino blanco
- 1 diente de ajo, sal y pimienta

Adobo 2:

- 1 chile picante
- 100 gramos de miel
- 50 ml de vinagre
- 100 ml de agua mineral
- 1 cucharada de mostaza de Dijon
- 1 cucharada de curry
- 1 diente de ajo, sal y pimienta

ELABORACIÓN

Lomo de cerdo adobado:

Cortamos el lomo de cerdo en tiras, y repartimos mitad y mitad en dos boles distintos.

Trituramos bien cada uno de los adobos, y cubrimos con ellos las dos partes de lomo de cerdo cortado. Removemos bien, tapamos y reservamos en frigorífico 24 horas.

Jamón crujiente:

Cortamos el jamón serrano lo más fino posible y lo freímos en aceite de oliva, a fuego fuerte, hasta que esté crujiente. Reservamos.

Migas de pan integral:

En un cazo de fondo ancho, ponemos aceite de oliva y el ajo cortado en láminas.

Seguidamente añadimos el pimiento rojo cortado en dados.

Remojamos en pan en agua fría, lo vamos escurriendo y lo añadimos deshecho al cazo, removiendo sin parar.

Añadimos sal y seguimos trabajando las migas, hasta que se vayan soltando y secando.

Elaboración final:

Sacamos el lomo de cerdo de cada uno de los adobos, lo secamos y salteamos por separado.

Salteamos las setas con un poco de aceite, a fuego fuerte, dejándolas al dente.

Cortamos la manzana en cubos y salteamos.

Ponemos en el fondo de cada plato una cucharada de migas, y repartimos el resto de los ingredientes de forma armónica (lomo, jamón, setas y manzana).

BIZCOCHO SOUFFLÉ
DE CHOCOLATE Y AZAFRÁN

INGREDIENTES

Para 4 personas:

- 100 gr de chocolate negro
- 80 gr de mantequilla
- 2 huevos enteros y dos claras
- 75 gr de harina de almendra
- 60 gr de azúcar glass
- Una pizca de sal
- Azafrán molido
- Una pizca de guindilla molida

ELABORACIÓN

Fundir al baño maría el chocolate, mantequilla, sal, guindilla y azafrán.

Separar las claras de las yemas de huevo. Montar las cuatro claras y añadir poco a poco las yemas. Añadir el azúcar sin dejar de batir.

Mezclar los huevos montados con la mezcla del chocolate fundido, con mucho cuidado para que la mezcla no se baje.

Añadir a la vez la harina de almendra.

Forrar el interior de 4 moldes redondos individuales de acero inoxidable con papel sulfurizado.

Llenar con la mezcla de bizcocho hasta la mitad, y meter en horno precalentado 200°C durante 8 minutos.

Desmoldar y servir, acompañándolo con un helado de chocolate ó vainilla natural.

DAMIÀ HORRACH

Nació en el pequeño municipio mallorquín de Consell, cuyas tierras forman parte sustancial de la D.O. de vinos Binisalem, y pronto se acercó a la cocina, donde empezó en los primeros peldaños, de camarero, para poco a poco ir ascendiendo hasta jefe de cocina y desde allí dar el salto a la gerencia de su propio restaurante, *Bon Aire*, en el Arenal. Autodidacta pues de partida, su pasión por los arcanos de la coquinaria le llevó a tomar clases con el mítico Bartomeu Esteva Jofre, "mestre Tomeu", artífice sumo de una decisiva delimitación de parámetros de la gastronomía tradicional mallorquina. Después, y en el proyecto de ampliar la gama de su paleta gastronómica, estuvo trabajando en uno de los primeros restaurantes alemanes de Palma, *Hannenfass*, y más tarde en un griego del que han quedado secuelas en la carta de su actual restaurante, *Es Bullit*, en Bahía Grande, a veinte kilómetros de Palma.

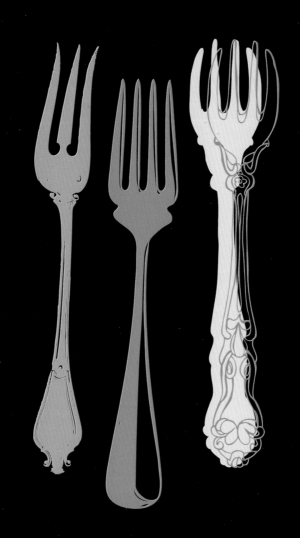

Una combinación y amalgama que funde esencias de la dieta mediterránea más genuina y cabal, soporte de cocina mallorquina tradicional, quizá una de las más cercanas al modelo nutricional declarado Patrimonio Cultural Inmaterial por la UNESCO, e ingredientes con alto potencial para encender la mecha del placer y el buen humor, con especial atención al triptófano.

El entrante, *Tosta de trampó con sardina y brandada de bacalao*, que toma como punto de partida la típica ensalada veraniega de las islas, incluye sardinas en aceite de oliva, riquísimas en ácidos grasos omega-3, siempre dispuestos a proteger la vaina que recubre los nervios, a alejar tristeza, depresión e insomnio, y a mejorar el tono general de ánimo, en combinación con el bacalao, pescado que también aporta algo de estas saludables grasas y una buena dosis de vitamina B6, que facilita la absorción del triptófano tan presente en el resto del menú. A todo ello se suma la remineralización de las verduras que colorean el plato y contribuyen al mayor bienestar del organismo, y el sosiego que se deriva de la ingesta de hidratos de carbono complejos del pan y la patata.

Por lo que respecta al plato principal, *Pechuga de pavo rellena de espinacas y gambas*, en su factura entran el magnesio del arroz, la fenilalanina de las espinacas, pero de manera aun más destacada el alto aporte de triptófano presente en la carne de pavo y en la piña, un aminoácido capaz de reducir significativamente los niveles de estrés, aumentar el estado de relajación general, y potenciar el bienestar psicológico.

Cerrando plaza, el postre, *Gató de cacao, mousse de nata y chocolate y plátanos*, con mermelada de fresa, se presenta como otra bomba de triptófano, en el que son generosos el cacao del chocolate y los plátanos, y de la fenilalanina de las almendras, también ricas en magnesio que por ende suman al de las avellanas, lo que garantiza una buena transmisión del impulso nervioso. Aunque sin duda el valor preeminente es el del cacao del chocolate, que aporta, además de magnesio, triptófano y zinc, la dosis necesaria de teobromina, potente antiestresante, estimulador del sistema nervioso central y de gran eficacia en la liberación de serotonina, implicada en la regulación del sueño, el bienestar psicológico y el placer general.

TOSTA DE TRAMPÓ
CON SARDINA Y BRANDADA DE BACALAO

INGREDIENTES

Para la tosta de trampó con sardina:

- 8 sardinas pequeñas
- 4 rebanadas de pan con semilla
- 3 tomates bien maduros para restregar
- 100 gr de pimiento verde
- 50 gr de pimiento rojo
- 50 gr de cebolla
- 1 diente de ajo
- Sal, aceite y cebollino al gusto

Para la brandada de bacalao "a medida":

- 300 gr de bacalao desalado
- 3 patatas
- 2 dientes de ajo
- Huevos y azafrán

ELABORACIÓN

Para la tosta de trampó:

Se pican, muy finos, los pimientos y la cebolla. Se raya el ajo y se mezcla con aceite de oliva virgen.

Se limpian bien las sardinas y se blanquean bajo el agua.

Se aplastan manualmente las rebanadas de pan y a continuación se restriega en ellas el tomate. Se añaden los pimientos y la cebolla ya picados.

Se termina con las sardinas sazonándolas y añadiendo un chorro de aceite con ajo y se hornea a 200ºC durante 10 minutos.

Para la brandada de bacalao:

Se hierve el bacalao previamente desalado, se retira y se reserva el agua de cocción.

En ese agua, se hierven las patatas.

Se pican los ajos y luego se tuesta y disuelve el azafrán.

Se juntan todos los ingredientes y se machacan con un tenedor, se le añade un huevo y aceite de oliva virgen a la masa y se hornea a 200ºC durante 10 minutos.

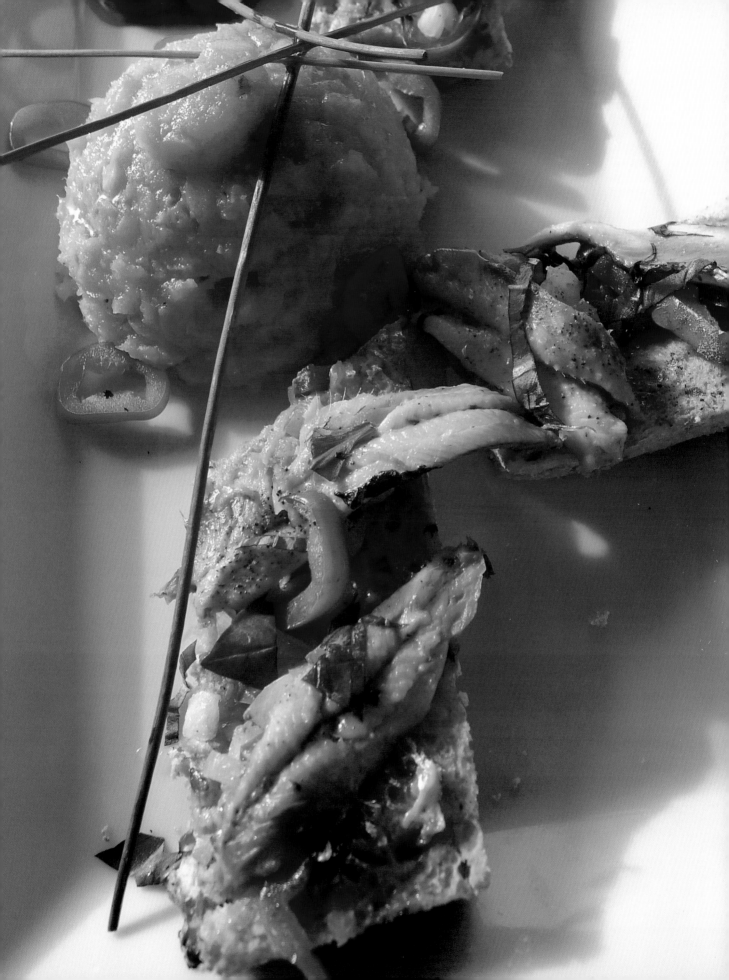

PECHUGA DE PAVO
RELLENA DE ESPINACAS Y GAMBAS

- 2 pechugas de pavo abiertas
- 12 gambas o gambones
- 1 manojo de espinacas frescas
- 200 gr de piña natural
- 400 gr de arroz Basmati
- 1 cebolla
- 20 gr de harina de maíz
- 1 huevo
- Ajo y cebolleta flor de hinojo
- Coñac o ron
- Pan blanco
- Dátiles
- Leche

ELABORACIÓN

Se dejan las pechugas 4 horas en remojo con leche. Después se lavan y se secan cuidadosamente. Se reservan.

Para preparar el relleno, primero se escaldan las espinacas y se dejan escurrir. Se reservan.

A continuación se pelan las gambas, reservando pieles y cabezas, se saltean en una sartén con aceite de oliva virgen, junto a la cebolla, el ajo y la cebolleta. Se retiran y se dejan enfriar.

Seguidamente, se sofríen las cabezas y pieles de las gambas, añadiendo coñac o ron. Se deja evaporar y se terminan de cocer con un poco de agua.

Se moja pan blanco en leche, se escurre y se añade al sofrito de gambas y se mezcla con un huevo.

Se cubren las pechugas de pavo abiertas con las espinacas y se rellena con el sofrito de gambas, se envuelven y atan, y después se pasan un poco por harina para freírlas en aceite de oliva virgen. Cuando terminen de hacerse, se apartan y reservan.

Seguidamente, en un cazo se cuecen las pechugas con el caldo resultante del hervido de las cabezas y piel de las gambas durante unos 20 minutos aproximadamente.

Por último, se añade como guarnición piña tostada a la plancha y arroz *Basmati* con dátiles pelados y salteados.

GATÓ DE CACAO,
MOUSSE DE NATA Y CHOCOLATE CON PLÁTANO Y MERMELADA DE FRESA

INGREDIENTES

Para el gató de cacao:

- 100 gr de avellanas molidas
- 100 gr de almendras molidas
- 4 claras de huevo a punto de nieve
- 4 yemas de huevo
- 250 gr de azúcar
- 150 gr de cacao en polvo
- 50 gr de harina

Para la mousse de nata y chocolate:

- 4 huevos
- Virutas de chocolate negro
- 100 gr de chocolate negro líquido
- 250 gr de nata líquida

ELABORACIÓN

Para el gató:

Se mezcla la harina, las avellanas y almendras molidas, las yemas de huevo, el azúcar y el cacao en polvo con las claras de huevo ya montadas, removiendo todos los ingredientes hasta que se forme una masa homogénea y compacta.

Se hornea a 200°C durante 20 minutos.

Para la mousse:

Se monta la nata y a continuación las claras de huevo.

Se mezclan estos dos ingredientes con el chocolate líquido y las virutas "semirremoviendo" para que finalmente se forme un contraste de blanco y negro.

Por último, se decora con plátano frito con *fondue* de chocolate y mermelada de fresa natural.

ANDRÉS MADRIGAL

Nacido en Madrid un 10 de agosto, día de San Lorenzo patrón de los cocineros, comenzó encaminando su actividad profesional hacia la fotografía y la electrónica, pero un día fue a parar a la cocina de un hotel donde el chef descubrió que además de herencia genética de su abuela Nuncia, grande guisandera, tenía dotes para el oficio. Pasó por *Le Chapou Fin*, de Burdeos, y luego Juan Mari Arzak, que le ofreció la posibilidad de pasar unos meses en su restaurante, lo que acabó de convencerle de la idoneidad de su nuevo camino. Así, empezó a formarse de manera decidida en restaurantes como *El Bodegón*, *Oter Epicure*, *Príncipe y Serrano* o *La Alborada*, y a seguir los consejos de maestros como Alain Duchese, Martín Berasategui y Roger Vergé. Después, *El Olivo*, del mítico Jean Pierre Vandell, y *Balzac*. Y al fin sus propios proyectos y aventuras en el *Atelier Madrigal*, *Azul Profundo*, *El taller de Madrigal* y el *Bistró Madrigal*, inaugurado en 2010. La historia continúa.

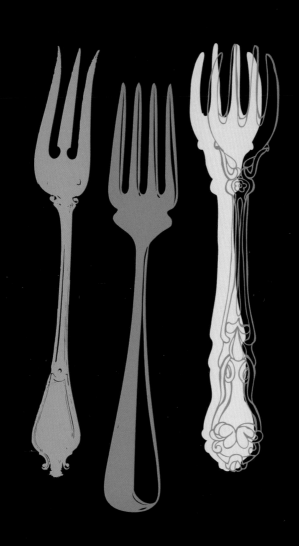

Algo de esa música étnica que semanalmente desgrana Madrigal sobre las ondas suena y fluye por este menú, cuyo primer movimiento, *Papapomodoro con tofu de garbanzos y camarones fritos*, incluye distintos productos de confort, alegría y buen humor. El tomate, aporta buenas dosis de fenilalanina, que activa la norepifedrina, mejora el estado de ánimo y al mismo tiempo hace que se reduzca el dolor y que se prolongue el buen humor, debido, sobre todo, a que ralentiza el proceso de descomposición de las endorfinas; las patatas y el pan son fuente de hidratos de carbono complejos, que proporcionan energía, activan la producción de serotonina cerebral, alejan la sensación de angustia y estrés, y mejoran el estado general de ánimo; mientras que los garbanzos que integran el tofu de compaña agregan y suman fenilalanina, que favorece los estados de ánimo positivos, mitiga el dolor, prolonga el buen humor, y mejora la química cerebral, vitamina B1, que potencia los efectos de la acetilcolina, responsable de la buena memoria, y litio, cuyas sales minerales se usan desde hace tiempo como antidepresivo natural.

El segundo y principal, *Albóndigas de pitu caleya en pepitoria con un toque árabe*, lo interpretan a la limón pollo, apio y ajo. El pollo, sobre todo el levantisco y criado en semilibertad, es una de las mejores y más generosas fuentes de triptófano, aminoácido que promueve la liberación de serotonina, neurotransmisor implicado en la sensación de calma, regulación del sueño, el bienestar psicológico y el placer, mientras que el apio aporta su enorme potencial depurativo que ayuda a eliminar tóxicos que generan disconfort. Cerrando la terna y completando la oferta *mood food* del plato, el ajo, cuyos ácidos, vitaminas y minerales ayudan a incrementar el nivel de serotonia cerebral, contribuyendo a combatir el estrés y los estados depresivos.

El postre, *Leche frita con helado de vainilla*, en equivalente al cuarto movimiento de una sinfonía, trae una benéfica carga de triptófano, presente en la leche, y de hidratos de carbono complejos de la harina de trigo, que van a desembocar en el aporte del huevo, también abundante en precursores de la serotonina generadora de optimismo y en proteínas reconstructivas de la mejor calidad.

PAPAPOMODORO
CON TOFU DE GARBANZOS
Y CAMARONES FRITOS

NGREDIENTES

Para la papapomodoro:

- 2 kg de tomate
- 60 gr ramas de apio
- 10 gr de patatas
- 1 diente de ajo
- 20 gr cebollas
- 40 gr zanahorias
- 1 pan grande con poca fermentación
- 200 gr de tomates cherry
- 20 cl aceite de oliva virgen
- Sal
- Pimienta negra molida

Para el Tofu:

- 100 gr de harina de garbanzos o de guisantes
- Agua mineral muy fría
- Sal
- 10 cl de aceite de oliva

Para los camarones:

- 120 gr de camarones de la bahía de Cádiz
- Aceite de oliva virgen
- Sal

Otros:

- 60 gr de cebolla
- Perejil
- Aceite de oliva

ELABORACIÓN

Para la papapomodoro:

Escaldar, pelar, despepitar y cortar los 2 kilos de tomate en dados. Reservar.

Pelar las cebollas, el apio, las zanahorias, las patatas y el ajo. Triturar todo en la termomix lo más rápidamente posible para evitar que suelten mucho agua las verduras.

En una cazuela amplia pochar toda la verdura triturada a fuego muy lento hasta que la cebolla deje de oler. (Muy importante.)

Añadir el tomate al sofrito y cocer todo a fuego muy lento. Hay que cocer muy despacio sin añadir nada de agua hasta que el tomate esté cocido.

Quitar la corteza del pan y cortarlo en cuadraditos de 2 por 2. Añadir al tomate y cocer a fuego suave hasta que se deshaga el pan. Si por alguna razón el pan no se deshace, lo haremos con una varilla.

Escaldar, pelar, despepitar los tomates cherry. Triturarlos y añadir el jugo obtenido a la cazuela del pan.

Añadir un buen chorro de aceite de oliva crudo, sal y pimienta al gusto.

Para el Tofu:

En un bol profundo deshacer el tofu con el agua mineral y la sal hasta obtener una consistencia de masa de crepes. Dejar enfriar durante una hora en lugar muy frío y rectificar de sal. Pasar a un biberón y freír con aceite muy caliente intentando que caigan poco a poco pequeñas bolitas de masa.

Para los camarones:

Lavar con cuidado los camarones, escurrir y secar con un paño de cocina. Freír en aceite muy caliente hasta que estén bien dorados. Rectificar en punto de sal.

Otros:

Picar la cebolla y el perejil finamente. Freír en aceite la cebolla durante unos minutos hasta que se vuelva dorada. Escurrir, pasar a un bol añadiendo el perejil picado. Mezclar bien los dos componentes.

Presentación:

En un plato hondo depositar una cucharada de papapomodoro muy caliente. A continuación la cebolla y el perejil frito; las bolitas de tofu después y por último los camarones.

En Myanmar existen, como en otros países asiáticos, diferentes presentaciones de tofu.

El tofu a utilizar en esta receta no está compuesto de harina de soja, sino de harina de guisantes o de garbanzos.

Es en la zona Shan (tercer estado de Myanmar) donde es frecuente encontrar el tofu frito. Allí se encuentran las famosas tortillitas de camarones similares a las del sur de España; delgadas, crujientes y muy calientes.

ALBÓNDIGAS
DE PITU CALEYA EN PEPITORIA CON UN TOQUE ÁRABE

INGREDIENTES

- 500 gr de carne de pitu caleya muy picada (mitad contra muslos y mitad pechuga)
- 110 gr de panceta entreverada de Ibérico
- 60 gr de cebolla
- 40 gr de apio verde
- 40 gr de puerro
- 1 diente de ajo
- 68 gr de clara de huevo
- 25 cl de nata

Para el caldo para la cocción de las albóndigas y salsa de las albóndigas:

- La carcasa del pitu troceada y limpia de grasa y vísceras
- 600 gr de carne de buey desprovista de grasa
- 100 gr de zanahoria
- 120 gr de puerro (la parte blanca)
- 60 gr de nabo
- 40 gr de apio en rama
- 100 gr de garbanzos en remojo
- 3 l de agua
- Sal

Para el curry:

- 6 gr de souchet
- 10 gr de ras-el-hanout
- 1 gr de azafrán
- 2 gr de nuez moscada
- 3 gr de comino molido
- 4 gr de cúrcuma
- Sal
- Pimienta negra molida

Para la salsa de las albóndigas:

- 120 gr de cebolla
- 60 gr de puerro (la parte blanca)
- 60 gr de zanahoria
- 10 gr de tomate concentrado
- 30 cl de vino blanco seco
- 20 cl de aceite de oliva virgen
- El caldo restante de la cocción de las albóndigas
- Sal

Otros:

- Láminas muy finas de pan payes tostado
- Cebollino picado
- Flores de ajo tiernas
- Una pizca de curry preparado anteriormente

ELABORACIÓN

Aplastar la carne picada entre dos láminas de silicona con la ayuda del rodillo. Pasarla a un bol grande, incorporar las claras de huevo, el curry y colocar el bol en otra más grande con hielo picado. Batir enérgicamente la preparación con una espátula hasta obtener una masa homogénea. Picar lo más pequeño posible las verduras e incorporar al bol de la carne picada. Volver a batir todo, esta vez añadiendo la nata. Para verificar si la preparación está bien hecha basta con hacer una pequeña quenelle poniéndola a escalfar en agua y ver si se coagula sin deshacerse.

Para el caldo para la cocción de las albóndigas y salsa de las albóndigas:

Picar en dados pequeños la carne y las verduras. Echar en una brasera la carne con las verduras y la carcasa de pitu. Añadir el agua y poner a hervir muy despacio durante una hora. Espumar si fuera necesario; de esta manera el caldo va absorbiendo los jugos de la carne y los aromas de la verdura y del pitu.

Filtrar el caldo a través de un paño humedecido en agua muy fría y bien escurrido. De esta forma conseguimos que el caldo se clarifique gracias a la albúmina de la carne. Rectificar de sal y reservar.

Llevar a ebullición el caldo. Preparar las quenelles de albóndigas bien frías y sumergirlas en el caldo hasta que estén bien coaguladas. Sacarlas del caldo en una placa de rejilla y dejar que siga cociendo el caldo muy despacio para elaborar la salsa.

Para la salsa de las albóndigas:

Picar las verduras muy finamente, rehogar con aceite en una cazuela profunda y ancha. Cuando empiecen a tomar color tostado incorporar el tomate concentrado. Remover bien y verter el vino blanco. Dejar evaporar completamente e incorporar el caldo de las albóndigas. Dejar cocer 30 minutos. Pasar todo a la túrmix y licuar hasta obtener una salsa muy ligera y terciopelada. Volver a poner en una cazuela profunda y ancha y depositar en ella las quenelles de pitu. Dejar cocer 8 minutos a fuego muy lento.

Otros:

Calentar tibiamente los platos de alcachofas. Depositar a continuación 4 ó 5 quellenes de albóndigas, cubriéndolas de su propia salsa. Espolvorear con curry, el cebollino y por último las láminas de pan tostado.

LECHE FRITA
CON HELADO DE VAINILLA

INGREDIENTES

- 2 l de leche entera
- 150 gr de harina de trigo
  (o harina de maíz)
- 6 yemas de huevo
- 100 gr de mantequilla
- 300 gr de azúcar
- 1 vaina de vainilla
- 1 canela en rama
- La cáscara de un limón
- 2 cucharadas de anís
- 5 cl de aceite de oliva
- 4 huevos
- 100 gr de harina para rebozar
- 20 cl de aceite de oliva
- 60 gr de azúcar lustre
- 20 gr de canela molida

ELABORACIÓN

Hervir un litro y medio de leche en un cazo profundo con la vaina de vainilla abierta por la mitad y raspada para que suelte los granos, la canela, la cáscara de limón y el anís durante 5 minutos.

En un bol grande batir las yemas hasta que se vuelvan blancas, añadir el resto de leche, la azúcar y la harina. Batir todo el conjunto y mezclar bien.

Pasar la leche infusionada con la vainilla y demás al bol grande, batir con la túrmix, colar y pasar toda la mezcla al cazo anterior. Dejar cocinar unos 10 minutos sin que llegue a hervir (fundamental que no hierva nunca), removiendo la crema constantemente con una espátula de plástico o varilla de plástico, nunca de madera. A falta de 2 minutos añadir la mantequilla cortada en dados y muy fría.

Una vez la mezcla esté homogénea pasar a una bandeja poco profunda (3cm) de 40x20cm engrasada con aceite de oliva. Pasar a la bandeja un poco de papel para retirar la grasa que sobre; debe de quedar como un espejo.

Dejar enfriar 12 horas a 5°C. Transcurrido el tiempo cortar la leche frita en cuadrados de 4x4cm. Pasar los cuadrados de leche por harina de rebozar, batir los huevos y sumergir los cuadrados de leche en ellos y escurrir.

En una sartén de teflón calentar el aceite de oliva hasta que comience a humear, apagar el fuego y freír de 6 en 6 los cuadrados de leche.

Repetir la operación con cuidado de no quemar el aceite demasiado.

Pasar los cuadrados de leche frita a escurrir sobre papel absorbente.

Colocar los cuadrados de leche frita en un fuente y espolvorear primero con azúcar lustre y luego con canela molida.

MANUEL MARTÍN

Hace ya un medio siglo que Manuel empezó a acercarse a la cocina, primero como testigo de la tradición familiar y después como pinche en el mítico y lujoso *Jockey*. Con tales mimbres se lanzó a hacer cestos culinarios en negocios propios en el *Club Motonáutico de España*, en el municipio madrileño de San Martín de Valdeiglesias, en otro club de Pelayos de la Presa, en *La Ardilla Roja*, de Navahermosa, Toledo, en el *Manuela*, de Figueretes, Ibiza, y en una marisquería de pompa y circunstancia, *Por la mar*, en Alcorcón, hasta que acabó aterrizando en el *Bosón de Higgs*, en el marco incomparable de los cerros de la Dehesa de la Villa que ocupa el Centro de Investigaciones Energéticas Medioambientales y Tecnológicas. Su cocina es de tradición, enjundia, en compases de la verbena de La Paloma, en cuya iglesia fue bautizado, y con referencias, en muchas ocasiones, a la gastronomía histórica que le recita un buen amigo. Nada más y nada menos.

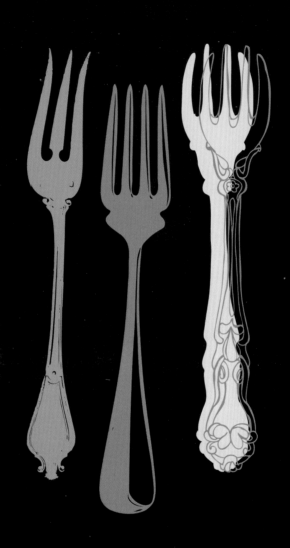

En la apertura del servicio, una **Ensalada de canónigos a la miel**, un casi paradigma *mood food* sobre la base de cuatro alimentos de enorme interés. De un lado, los canónigos, que tonifican el hígado y mejoran las funciones hepáticas, dando paso al buen humor, y de otro, aguacate, con salutíferas grasas, vitamina E, poderoso antioxidante o antienvejecimiento, que impide el deterioro oxidativo de las grasas poliinsaturadas provenientes de otros alimentos, la vitamina B6, indispensable para la salud del sistema nervioso; y fenilalanina, esencial para mejorar el ánimo y mantener un tono de buen humor. Además, la miel garantiza una barrera contra las infecciones que pueden alterar la fisiología del organismo y provocar disconfort, mientras que las nueces son fuente de ácidos grasos omega-3, que mantienen en forma el sistema nervioso y protegen la mielina, y de ácido fólico, que equilibra la química cerebral, eleva los niveles de serotonina y dopamina, induciendo placer, calma y bienestar.

Entrando en el ecuador del menú, **Lubina a la pimienta**, nos encontramos con un pescado excepcionalmente rico en vitamina B1, que interviene en la transformación de los alimentos en energía, por lo que su ingesta es fundamental para evitar estados de decaimiento y desánimo, y que es fundamental en la absorción de glucosa por parte del cerebro, por lo que su deficiencia provoca síntomas como irritabilidad, ansiedad, cansancio intelectual y depresión; en vitamina B12, necesaria para la transformación de los ácidos grasos en energía, protagonista en la síntesis de los neurotransmisores y en la eficaz transmisión de los impulsos nerviosos; y en fósforo, mineral que forma parte sustancial de membranas celulares como los fosfolípidos, que intervienen en el normal funcionamiento del cerebro ayudando a las neuronas a comunicarse entre sí y mejorando el rendimiento intelectual, la concentración y la memoria.

Por último, la **Tarta pecan**, que nunca faltó en la mesa del matrimonio Franklin y Eleanor Roosevelt, tiene más nueces y una buen dosis de huevo, que incluye proteína de la mejor calidad y triptófano, precursor de la serotonina, neurotransmisor implicado en el sueño fisiológico, el placer, el confort espiritual y el buen humor.

ENSALADA
DE CANÓNIGOS A LA MIEL

INGREDIENTES

- 1 bolsa de canónigos frescos
- 1 aguacate pelado y partido
  en gajos
- 100 gr de nueces picadas
- 50 gr de pasas

Para la salsa vinagreta de miel:

- 3 cucharadas de aceite
  de oliva virgen
- 1 cucharada de miel de romero
- 1 cucharada de acceto balsámico
- Sal al gusto

ELABORACIÓN

Preparar los canónigos, lavándolos y escurriéndolos muy bien.

A continuación, preparar la salsa vinagreta de miel, poniendo la miel de romero y el acceto en un bol y mezclándolos enérgicamente para disolver bien la miel. Echar después el aceite de oliva virgen y remover bien para emulsionar la salsa.

Poner los canónigos en una bonita fuente, colocar el aguacate partido en gajos, echar por encima las nueces picadas y las pasas. Por últimos verter la vinagreta de miel.

corazón del yoga : desarrollo de una pr
LL NO: 613.704 Des
28046316379
E: 11/19/15

od food : la cocina de la felicidad /
LL NO: 641.563 Alm
28083621434
E: 11/19/15

alo correctamente en inglés /
LL NO: 428.346 Dig
28083821554
E: 11/19/15

clave del mayor secreto del mundo /
LL NO: 158.1 Tre
28080309520
E: 11/19/15

AL: 4

LUBINA
A LA PIMIENTA NEGRA

INGREDIENTES

- 8 corvinas de ración en filetes
- ½ cucharadita de pimienta negra
- ¼ de cucharadita
  de pimienta blanca
- 1 limón
- 2 cucharadas de aceite de oliva
- 2 cucharadas de mantequilla
- 1 taza de vino de Jerez
- 200 gr de champiñones
- Un tercio de taza de crema agria
- Sal al gusto

ELABORACIÓN

Se rocían los filetes de corvina con el jugo de limón, se salpimientan y se dejan reposar durante unos 10 minutos.

Pasado ese tiempo, en una sartén grande, se calienta el aceite con la mantequilla en una sartén grande y se doran los filetes de corvina. Cuando ya esté dorada, se retira del fuego y se reserva.

Después, en la misma sartén se agrega el Jerez, los champiñones y la crema agria, que ha sido previamente batida, y se deja cocer todo durante 5 minutos.

A continuación, se ponen los filetes de corvina en la sartén, se tapa y se deja cocer 2 minutos más.

Finalmente, se sirven los filetes acompañados de su salsa.

TARTA PECAN

- Masa para hojaldre
- 3 huevos
- ½ taza de azúcar morena
- 1 taza de jarabe de maíz oscuro
- 1 cucharadita de vainilla
- 4 cucharadas de mantequilla derretida
- Una pizca de sal
- 1 ½ taza de nueces pecan

ELABORACIÓN

Se extiende la masa y se coloca en el molde para tarta, se presiona bien los bordes y el fondo contra el molde, y se cortan los sobrantes con un cuchillo. A continuación se mete en el frigorífico, durante unos 10 minutos. Se precalienta el horno a 220° C, se pincha la masa, se cubre con papel encerado y se hornea durante 10 minutos o hasta que esté ligeramente dorada. Se saca del horno y se deja enfriar.

A continuación se prepara el relleno, poniendo en una tazón grande los huevos, el azúcar, el jarabe, la sal y la vainilla, mezclándolo todo bien. Después se le agrega la mantequilla y las nueces pecan partidas en trocitos.

El relleno se vierte sobre la masa ya preparada, y se mete en el horno durante 40 a 45 minutos hasta que se cuaje pero cuidando de que el centro quede ligeramente suave.

Se deja enfriar un poco y ya está lista para servir.

SACHA ORMAECHEA

Sacha es un hombre culto, afable, ingenioso, siempre inquieto y creador de fantasías conceptuales, magnífico fotógrafo y cocinero con chispa y aje. Formado culinariamente en Cataluña, en el *bistrot* madrileño de inspiración parisiense que lleva su nombre y que sus padres, la gallega Pitila y el vasco Carlos, montaron en 1872 y que hoy sigue vivo y pujante, más en un sinfín de experiencias y tareas que se han ido acrisolando en una cocina aparentemente sencilla, tradicional y rompedora a iguales partes, muy solvente, confeccionada con productos de extraordinaria calidad y con harta frecuencia, originalidad suma, sin trampas ni efectismos, de orígenes definidos y fijada en memoria del paladar, ecléctica, con fogonazos de magia blanca, maridajes con vinos emergentes y viajeros de caminos sin trilla, conversación amena y *mood food* vocacional décadas antes de que le tendencia se hiciera verbo entre nosotros.

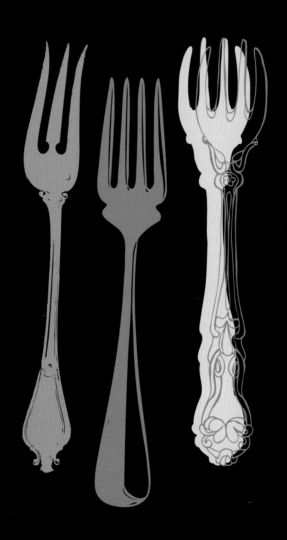

Menú relativamente simple, pero muy fundamentado, que empieza con unos **Tirabeques con melocotón**. Los tirabeques son vainas de guisantes que se cultivan y consumen por la propia vaina, delicada, crujiente, dulzona y de un color vivo y brillante. En lo que aquí interesa, aportan una sustancial cantidad de fibra, que previenen estreñimientos y malhumor asociado, y son muy ricos en vitamina B1, que interviene en la transformación de los alimentos en energía, lo que evita decaimientos y desánimos, y además representa un papel protagonista en absorción de glucosa por parte del cerebro y del sistema nervioso en general, de lo que se derivan menores tendencias de ansiedad y la depresión. Por su parte, el mecolotón también aporta fibra y magnesio, mineral que actúa como antidepresivo natural, participa en la transmisión de los impulsos nerviosos, en la contracción y relajación de músculos.

En el plato principal, **Mero sobre alboronía**, el protagonista es el mero, pescado muy generoso en tres vitaminas de alto valor *mood food*: B6, B9 y B12. La B6, favorece la correcta asimilación del triptófano, interviene en la transformación en energía de los hidratos de carbono y las grasas de la dieta, y mantiene el sistema nervioso en buen estado. La B9 o ácido fólico también es muy útil para mejorar el estado general de ánimo y evitar la depresión. Finalmente, la B12 es necesaria para la transformación de los ácidos grasos en energía y para conservar en buen estado la vaina que protege los nervios y los axones de las neuronas. Completando, la calabaza es rica en beta-caroteno o provitamina A, esencial para el sistema nervioso; y en magnesio, que actúa contra los estados de estrés, tensión nerviosa e irritabilidad.

En el cierre, **Un postre sencillo**, manda la piña, fuente importante de fenilalanina, que interviene en la producción de norepifedrina, favoreciendo los estados de ánimo positivos y ralentizando la descomposición de las endorfinas, lo que contribuye al confort general y prolonga el buen humor, que se acompaña de jengibre, un tónico circulatorio que activa sustancialmente el riego sanguíneo, especialmente la circulación periférica, lo que mejora el humor de las personas con manos y pies fríos, además de muy eficaz para combatir cefaleas, jaquecas y migrañas.

TIRABEQUES
CON MELOCOTÓN

- 300 gr de tirabeques
- 2 melocotones medianos
  o 1 de calanda
- 4 hojas de menta
- 2 de albahaca
- Aceite de arbequina
- Sal en escamas
- Vinagre balsámico
- Jugo de jalapeño

ELABORACIÓN

Poner agua a hervir sin necesidad de sal, una vez en ebullición añadir los tirabeques, dejar que el agua vuelva a hervir.
Apagar el fuego y medio minuto más tarde retirar del agua.
Si se puede introducir en un agua con hielo para cortar la
cocción, si no es así refrescar debajo de grifo.

Pasar los tirabeques a un bol, y añadir un poco de aceite,
lo suficiente para que se deslicen por el bol, espolvorear un
poco de sal en escamas y terminar de aliñar con la albahaca
y la menta cortadas en tiras.

Seguidamente pelar los melocotones y cortar en dados
grandes, saltear en una sartén con muy poco aceite lo justo
para que no se peguen al fondo. Cuando estén dorados incor-
porarlos al bol con los tirabeques mezclar bien y servir en 4
platos. Terminar con unas gotas de jugo de jalapeño si nos
gusta el picante y unas gotas de un vinagre algo balsámico.

MERO
SOBRE ALBORONIA

- 4 lomos de 125 gr de mero
- 1 trozo de calabaza de 500 gr
- 2 cebolletas
- 1 tomate
- ¼ de pimiento rojo
- Cebollino
- Aceite de oliva
- Sal

ELABORACIÓN

Picar las cebolletas y el tomate, hacer un sofrito sin sal, pero si con aceite de oliva. Cuando esté el sofrito cambiando de color, añadir el pimiento cortado en dados finos, un minuto más tarde incorporar la calabaza cortada en dados más grandes que los del pimiento. Añadir entonces un poco de sal y remover durante un minuto para que la calabaza tome temperatura por igual. Retirar del fuego y dejar reposar.

Seguidamente dorar los filetes de pescado por el lado de la piel con un poco de sal y un fondo ligero de aceite, en una plancha o una sartén antiadherente. Dar la vuelta y terminar de hacer por el lado de la carne. Emplatar el fondo de alboronia en cada plato, servir encima los lomos del pescado con la piel hacia arriba y terminar con cebollino picado y un chorro de aceite virgen extra por encima.

UN POSTRE
SENCILLO

INGREDIENTES

- 1 piña pequeña
- Media papaya
- Jengibre
- Azúcar moreno
- 4 ramas de romero
- 1 de canela
- Mantequilla o aceite

ELABORACIÓN

Cortar la piña en cuatro partes de forma longitudinal. Eliminar el corazón de cada parte, seguidamente espolvorear con azúcar moreno y poner en el horno a gratinar durante cuatro o cinco minutos. Al mismo tiempo limpiamos de sus pepitas y piel, la papaya, dejando solo la parte carnosa. La cortamos en medios aros, y salteamos medio minuto en la sartén, con las cuatro ramas de romero, una gota de aceite o mantequilla y una rama de canela.

Retiramos de la gratinadora los cuatro gajos de piña y rayamos un poco de jengibre en cada trozo. Servimos la piña acompañada de la papaya y el romero.

PACO RONCERO

Estrella rutilante de la galaxia coquinaria española y referente sumo en cocina miniatura. Realizó sus estudios en la Escuela Superior de Hostelería y Turismo de Madrid y en los noventa empezó su deambular creativo por *Zalacaín* y los hoteles *Ritz*, hasta que en 1998 pasó a formar parte del equipo de Ferran Adrià, de quien pronto fue aventajado discípulo. En 2000, fue nombrado Jefe de Cocina del Casino de Madrid, donde recibió su primera Estrella Michelin, y en 2004 fue uno de los encargados de elaborar la cena de gala en el enlace de los Príncipes de Asturias. Activo colaborador en medios, brillante conferenciante y autor de tres de libros, uno de los cuales, *Tapas del siglo XXI*, recibió el *Gourmand World Cookbook* en la edición de 2006; año en el que también le fue otorgado el Premio Nacional de Gastronomía. Actualmente desarrolla su labor culinaria los dos gastrobares *Estado Puro* y en el restaurante con dos estrellas Michelin y tres soles de la Guía Repsol *La Terraza* del Casino de Madrid.

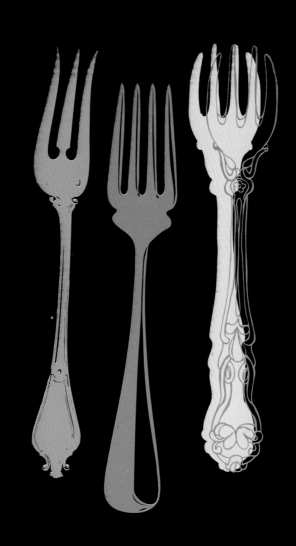

Tres recetas imbuidas del espíritu de esa cocina tecnoemocional de la que Paco Roncero es exponente sumo y que lógicamente plantean problemas de confección doméstica, aunque la dificultad del reto debería ser un acicate de superación y un camino de autoestima *mood food.*

Lo que la coquinaria de los Siglos de Oro llamaría llamativo, **Rissoto de suero de yogur con toques cítricos**, ostenta como mascarón de proa el yogur, prebiótico en el que las bacterias vivas contribuyen a equilibrar la flora bacteriana intestinal y a vigorizar el sistema inmunitario, que es la gran línea de defensa frente a infecciones y dolencias que suelen ser motivo de disconfort, irritabilidad y mal humor; a lo que se añade un interesante aporte de vitaminas del grupo B, fundamentales para mantener en forma el sistema nervioso central.

En el plato principal, **Ventresca de salmón cocinado a 40ºC con salsa tártara en deconstrucción**, manda uno de los pescados azules más generosos en ácidos grasos omega-3, fundamentales para dotar de flexibilidad a las neuronas y esenciales para mantener el equilibrio funcional de las células del tejido nervioso. Como gentiles acompañantes, figuran en lugar destacado las alcachofas, cuyas sustancias activas actúan como magnífico tónico hepático que induce el buen humor; el ajo, de efectos sedantes y rico en magnesio, fenilananina, vitamina B6, ácido fólico, triptófano y selenio, que en conjunto ayudan a incrementar el nivel de serotonina cerebral, contribuyendo a combatir el estrés y los estados depresivos; y la capsaicina de las guindillas, cuyo calorífico picante excita la producción de endorfinas cerebrales, que provocan euforia y sensaciones de placer.

Para el postre, **Coulant-nitro de chocolate**, salen a plaza dos figuras señeras en esta lidia, el chocolate y las avellanas. El primero, es fuente principal de teobromina, un estimulador del sistema nervioso central y un inductor de sensaciones de tranquilidad, relajación y felicidad, que por añadidura manifiesta una importante acción antiestrés que aumenta la sensación de placer y buen humor; mientras que las avellanas, además de muy energéticas, son abundantes en magnesio, mineral que frena el estrés, y los estados de irritabilidad o tensión nerviosa.

RISOTTO DE SUERO
DE YOGUR CON TOQUES CÍTRICOS

INGREDIENTES

Para la base de yogur casero:

- 0,15 unidad de yogur griego
- 1 kg de leche de vaca entera

Para el suero de yogur:

- 150 ml de base de yogur casero (Elaboración anterior)

Para el risotto de yogur:

- 0,05 unidad de ajetes
- 50 gr de chalotas
- 50 gr de mantequilla
- 50 ml de aceite de oliva virgen extra
- 100 ml de vino blanco
- 200 ml de suero de yogur (elaboración anterior)
- 50 gr de yogur casero de leche de vaca (Elaboración anterior)
- 150 gr de arroz carnalori

Para el puré de piel de limón:

- 25 gr de Jarabe T.P.T. (TPT: agua y azúcar a partes iguales)
- 90 gr de mantequilla
- 40 ml de nata líquida
- 35 gr de zumo de limón natural
- 125 gr de piel de limón

Para el puré de albedo de limón:

- 90 gr de mantequilla
- 400 ml de nata líquida
- 35 gr de zumo de limón natural
- 125 gr de albedo de limón
- 25 gr de jarabe T.P.T. (TPT: agua y azúcar a partes iguales)

Otros:

- 100 gr de limones
- 5 gr de comino molido
- 10 ml de aceite de oliva virgen extra

ELABORACIÓN

Para la base de yogur casero:

Calentar la leche hasta 80ºC.

Una vez alcanzado los 80ºC, bajar la temperatura a 40ºC, en el menor tiempo posible.

Incorporar el yogur griego con ayuda de una espátula, dejar reposar a temperatura ambiente durante 4 horas.

Transcurridas las 4 horas reservar en nevera 24 horas.

Para el suero de yogur:

Poner la base de suero de yogur (elaboración anterior) en un colador chino con papel.

Dejar escurrir el suero de yogur de la base de yogur casero a temperatura ambiente.

Para el risotto de yogur:

Pochar la chalota junto con los ajetes.

Agregar el arroz, remover unos minutos hasta que absorba parte del aceite y quede transparente.

Verter el vino blanco, dejar evaporar.

Mojar el arroz con el suero de yogur (como si se tratara del caldo que utilizaríamos en la cocción normal de un risotto).

Cocer el arroz sin dejar de remover (como si se tratase de un risotto).

Poner a punto de sal y terminar mantecando con base de yogur casero y mantequilla.

Para el puré de albedo de limón:

Pelar el limón con ayuda de un pelador, intentando dejar la mayor parte de albedo posible.

Con ayuda de una puntilla retirar el albedo de limón.

Blanquear el albedo de limón 4 veces partiendo de agua fría cambiando el agua cada vez que se blanqueen, escurrir y reservar los albedos de limón blanqueados. (Podemos conservar el albedo de limón envasado al vacío con un poco de agua y TPT.)

Cocer los albedos de limón blanqueados en jarabe TPT (50% agua/50% azúcar) durante 45 minutos.

Escurrir los albedos de limón del jarabe, triturar en el vaso americano, incorporando nata, mantequilla y zumo de limón.

Colar la mezcla por un colador fino y reservar.

Para el puré de piel de limón:

Pelar la piel de limón con ayuda de un pelador, intentando dejar la mayor parte de albedo posible.

Blanquear las pieles de limón 4 veces partiendo de agua fría, cambiando el agua cada vez que se blanquee, escurrir y reservar las pieles blanqueadas. (Podemos conservar las pieles de limón envasándolas al vacío con un poco de agua y TPT.)

Cocer las pieles blanqueadas en jarabe TPT (50% Agua / 50% Azúcar) durante 45 min.

Escurrir las pieles del jarabe, triturar en el vaso americano incorporando nata, mantequilla y zumo de limón.

Pasar la mezcla por un colador fino y reservar.

Acabado y presentación:

Pintar los frascos de yogur tanto con puré de piel de limón como con puré de albedo de limón.

Poner el risotto de yogur en el frasco de yogur pintado con los purés de piel y albedo de limón.

Terminar con una pizca de comino en polvo un toque de ralladura de limón y unas gotas de aceite de oliva extra virgen.

VENTRESCA DE SALMÓN
COCINADO A 40°C CON SALSA
TÁRTARA EN DECONSTRUCCIÓN

Para el salmón:

- 800 gr de salmón

Para el ali oli:

- 4 gr de ajo fresco
- 100 ml de aceite de oliva 0.4
- 0,03 unidad de huevos de gallina
- 0,1 gr de sal fina

Para la marinada de miso:

- 250 gr de miso rojo
- 100 ml de salsa de soja
- 100 ml de sake
- 75 ml de vinagre de arroz
- 125 gr de azúcar

Para el corazón de pepino encurtido:

- 150 gr pepino
- 30 ml de vinagre de jerez
- 90 ml de agua
- 3 gr de hinojo

Para los ajos encurtidos:

- 5 gr de ajo fresco
- 45 ml de aceite de oliva virgen extra, variedad picual
- 15 ml de vinagre de jerez
- 20 ml de agua
- 0,3 gr de sal fina

Para los corazones de alcachofas encurtidos:

- 100 gr de alcachofas baby
- 150 ml de aceite de oliva virgen extra (variedad hojiblanca)
- 20 ml de vinagre de jerez
- 0,001 gr de acido ascórbico
- 0,3 gr de sal fina
- Perejil

ELABORACIÓN

Para el salmón:

Desescamar y eliminar las vísceras y branquias del salmón.

Dar un corte, justo detrás de los opérculos, de forma oblicua y hacia la cabeza, hasta la espina central. Repetir el mismo corte por el otro lado, hasta separar la cabeza.

Hacer un corte, con un cuchillo fino y afilado, a lo largo del dorso, desde el final de la cabeza hasta la cola, teniendo cuidado de no desgarrar el lomo del pescado.

Repetir el mismo proceso con el otro lomo del pescado.

La espina central queda al descubierto y se podrá sacar con facilidad.

Racionar en porciones de 8 X 4 cm.

Para el ali oli:

Blanquear los ajos pelados 3 veces partiendo de frío.

Introducir en un vaso americano los ajos con la yema de huevo e ir añadiendo el aceite poco a poco hasta conseguir una mahonesa.

Pasar por un colador de malla metálica y poner a punto de sal.

Para la marinada de miso:

Mezclar todos los ingredientes en un bol de acero con la ayuda de una varilla.

Para el corazón de pepino encurtido:

Cortar el pepino en dos mitades transversalmente.

Con la ayuda de un descorazonador de manzanas sacar el corazón de las dos mitades del pepino.

Introducir en una bolsa de vacío con el resto de ingredientes y envasar 30 minutos antes del comienzo del servicio.

Para los ajos encurtidos:

Escoger los ajos más pequeños y escaldarlos 3 veces.

Introducir los ajos en una bolsa de vacío con el resto de ingredientes. Envasar y reservar al menos 24 horas en la cámara frigorífica.

INGREDIENTES

Para el ruibarbo en almíbar:

- 25 ml de agua
- 25 gr de azúcar
- 50 gr de ruibarbo

Para el zumo de aceitunas negras:

- 300 gr de aceitunas negras

Para el alginato:

- 1 l de agua
- 5 gr de alginato

Para la base de esférico de aceitunas negras:

- 100 ml de agua de aceituna (elaboración anterior)
- 0,7 gr de cloruro cálcico
- 0,002 gr de xantana

Para las alcaparras:

- 2 unidades de alcaparrón
- 5 ml de aceite de oliva virgen extra

Para el aire de aceite:

- 100 ml de aceite de oliva virgen extra. (variedad hojiblanca)
- 0,2 gr de lecitina
- 50 ml de agua

Para el licuado de guindillas:

- 100 gr de guindilla
- 50 ml de agua de guindillas
- 0,002 gr de xantana

Para los brotes:

- 8 gr de ficoide glacial
- 4 gr de mostaza roja
- 10 gr de brotes de cordifole glacial
- 10 gr de brotes de acedera

Para los corazones de alcachofas encurtidos:

Tornear las alcachofas dejando el tallo, hasta llegar al corazón.

Vaciar el centro con un sacabocados.

Sumergirlas en agua con hielo, perejil y ácido ascórbico. Guardar durante 24 horas en la nevera para que se ricen los tallos.

Sacar las alcachofas del hielo e introducirlas en una bolsa de vacío junto con el aceite, el vinagre y la sal.

Envasar y guardar en la nevera 24 horas antes de su uso.

Para el ruibarbo en almíbar:

Hervir el agua con el azúcar y dejar enfriar a temperatura ambiente.

Pelar la primera capa de ruibarbo y cortar en trozos de 1 cm.

Introducir el ruibarbo en una bolsa de vacío y envasar junto al tpt media hora antes del servicio.

Para el zumo de aceitunas negras:

Deshuesar las aceitunas.

Triturar la pulpa en un vaso americano.

Colar por un superbag prensado con las manos.

Guardar el jugo obtenido en la nevera.

Para el alginato:

Mezclar el agua con el alginato sódico con la ayuda de una túrmix.

Pasar por un colador de malla metálica.

Guardar en la cámara frigorífica hasta el momento de su uso.

Para la base de esférico de aceitunas negras:

Añadir el cloruro y dejar hidratar bien 1 minuto.

Mezclar con una batidora y espolvorear en la superficie la goma Xantana.

Triturar con ayuda de una túrmix a velocidad media.

Guardar en la nevera 24 horas.

Para las alcaparras:

Partir los alcaparrones a la mitad y aliñar con unas gotas de aceite de oliva.

Para el aire de aceite:

Mezclar el aceite con el agua y la lecitina en un recipiente metálico alto.

Emulsionar la mezcla anterior con una túrmix accionándolo en la parte superior para así introducir la máxima cantidad de aire y formar una espuma que por su volatilidad la denominaremos aire.

Para el licuado de guindillas:

Abrir el bote de guindillas, escurrir y reservar el agua de guindillas.

Triturar en un vaso americano 100 gr de guindillas con 50 ml del agua. Pasar por colador de tela metálica.

Añadir la xantana y triturar con la ayuda de una túrmix durante 5 minutos.

Introducir el licuado de guindillas en pipetas y guardar en la cámara frigorífica hasta el momento de su uso.

Para los brotes:

Escoger los brotes más bonitos y reservar en un bol tapados con un papel húmedo.

Para el marinado del salmón:

Introducir los lomos de salmón limpios en una bolsa de vacío junto con la marinada de miso.

Sellar las bolsas de vacío.

Dejar marinar en la cámara frigorífica durante 24 horas.

Abrir la bolsa de vacío, sacar los lomos de salmón y lavarlos con abundante agua fría.

Introducir en una bolsa de vacío y envasar al 90%.

Para las aceitunas negras esféricas:

Llenar una cuchara semiesférica de 5 ml de capacidad con la base de esféricos de aceitunas negras.

Verter el contenido de la cuchara en la base de alginato sódico formando aceitunas esféricas. Es muy importante que las aceitunas esféricas no se toquen entre sí, pues se pegarían unas con otros.

Coger las aceitunas esféricas de la base de alginato con la ayuda de una cucharilla con agujeros y sumergirlas en agua fría para limpiarlos.

Escurrir las aceitunas esféricas procurando no romperlas y colocarlas, sin que se toquen en un recipiente con aceite de oliva.

Guardar en la cámara frigorífica hasta el momento de su uso.

Acabado y presentación:

Sacar el salmón envasado al vacío 10 minutos antes de su uso de la cámara frigorífica para que se atempere. Introducir en el roner y cocer durante 20 minutos a 40°C.

Sacar del roner, abrir la bolsa de vacío, escurrir y secar con papel absorbente el exceso de agua.

Gratinar, con la ayuda de un soplete, la parte superior del lomo del salmón y cortar en dos trozos.

Disponer en el plato el salmón en el centro y alrededor el pepino cortado en diagonal, ajo, alcachofa, lámina de ruibarbo y aceituna negra esférica.

Poner a un lado del salmón tres puntos de ali oli y al otro lado, 2 de guindilla texturizada.

Colocar los brotes encima de los encurtidos y terminar con el aire cremoso de aceite de oliva sobre los dos lomos de salmón.

COULANT NITRO
DE CHOCOLATE

INGREDIENTES

Para la espuma de chocolate-nitro:

- 2 l de leche entera
- 300 gr de yema pasteurizada
- 1.200 gr de cobertura de chocolate 70%
- 800 ml de claras
- 600 gr de azúcar

Para la teja de cacao:

- 500 gr de mantequilla
- 200 gr de cacao en polvo
- 350 gr de harina floja
- 600 ml de clara de huevo pasteurizada
- 1.200 gr de azúcar

Para el bizcocho de avellana:

- 375 gr de harina de avellanas
- 375 gr de harina floja
- 750 gr de azúcar
- 5 gr de sal fina
- 25 gr de maicena express
- 250 gr de pasta de avellana
- 500 gr de mantequilla
- 1 l de clara de huevo pasteurizada

Para el flan de avellanas:

- 600 gr de leche de vaca entera
- 200 ml de nata líquida
- 0,18 unidad de yema de huevo
- 350 gr pasta de avellana
- 1 kg de colas de pescado
- 100 gr de azúcar
- 0,1 gr de sal fina

Para las avellanas garrapiñadas:

- 100 ml de agua
- 500 gr de avellanas
- 200 gr de azúcar
- 1 gr de mantequilla

Otros:

- 0,4 gr de nata LYO

ELABORACIÓN

Para la espuma de chocolate-nitro:

Levantar a hervor la leche con el azúcar.

Una vez levante hervor, añadir las yemas moviendo constantemente para que no se cuaje.

Añadir la mezcla a un bol con el chocolate negro y mezclar bien.

Dejar enfriar la mezcla a temperatura ambiente.

Una vez frío añadir las claras y meter en sifón hasta la mitad con dos cargas.

Reservar en la nevera.

Para el teja de cacao:

Mezclar el azúcar, el cacao y la harina con una batidora.

Derretir la mantequilla sin fundirla del todo.

Añadir la mantequilla derretida a la mezcla anterior en forma de hilo y mezclar.

Añadir luego las claras en forma de hilo y mezclar.

Estirar la mezcla en varias placas de horno uniformemente con papel de horno.

Cocer a 190°C hasta que la mezcla este dura.

Enfriar y desmigar en vaso americano.

Para el bizcocho de avellana:

Mezclar el azúcar, la harina de avellanas, la harina, la sal y la maicena express con una batidora.Derretir la mantequilla sin fundirla del todo.

Añadir la pasta de avellanas a la mezcla anterior y mezclar. Añadir la mantequilla derretida en forma de hilo y mezclar.

Añadir las claras a la mezcla y mezclar.

Una vez bien mezclado todo, meter al horno a 180°C durante 45 min.

Sacar y dejar enfriar a temperatura ambiente.

Una vez frío eliminar la corteza y desmigar pasándolo por un tamiz.

Para el flan de avellanas:

Levantar a hervor la leche, la nata, la sal y el azúcar.

Cuando éste se produzca retirar del fuego y añadir las yemas moviendo constantemente para que no se cuaje.

Añadirle la cola de pescado hasta que se derrita.

Añadir la mezcla a un bol con la pasta de avellanas.

Poner papel film a pie, para que no haga costra y reservar en la nevera.

Para las avellanas garrapiñadas:

Cocer agua y azúcar a 114°C.

Añadir las avellanas moviendo constantemente hasta que se caramelice y las avellanas dejen de estar pegadas.

Añadir la mantequilla en trozos para que al enfriarse no se peguen.

Dejar enfriar a temperatura ambiente.

Una vez frías bañarlas con polvo de oro.

Acabado y presentación:

En el fondo del plato poner el flan de avellanas pintando un círculo plano.

En uno de los lados encima del flan poner un poco de teja de cacao y al otro lado el bizcocho de avellana.

Entre ambas migas poner en un lado un poco de nata LYO y en el otro las avellanas garrapiñadas.

Con ayuda de un cacillo pequeño, previamente congelado en nitrógeno, rellenar con la espuma de chocolate y lo congelamos sobre nitrógeno liquido por espacio de 8 segundos por cada cara.

Sacamos la bola helada de chocolate y la ponemos sobre las migas de teja y bizcocho de avellana.

CÉSAR RUIZ

Nacido en el seno de una familia hostelera de fama e hijo del mítico José Luis, estudió *Bachelot of Arts Economics* en la Universidad Pepperdine de Malibú en California, USA. Pronto descubrió que le llamaban los fogones y por eso marchó a París para hacer un curso de cocina y pastelería en la Escuela Superior de Hostelería. Más tarde participó en la Expo de Sevilla 92, como responsable de catering en el Pabellón de Bélgica y años después se asoció con Carlos Galán para poner en marcha uno de los restaurantes españoles que más éxito ha tenido en Miami, *Macarena*, un local que posteriormente ampliaría su oferta como local de copas y espectáculos. Tras cerrar esa etapa viajó por medio mundo y a su regreso a España, comenzó a trabajar como asesor culinario y jefe de cocina del grupo José Luis, y a aparecer periódicamente en programas televisivos de TVE, Canal Cocina y Telemadrid, entre otras cadenas.

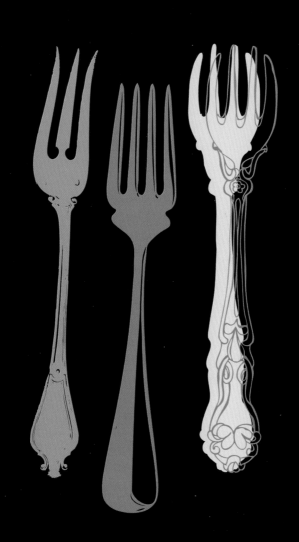

Un menú *mood food* hasta el último aliento ya que es casi un completo compendio de productos revitalizantes, antiestresantes y potenciadores del bienestar general, el buen humor y la felicidad.

En el entrante, **Mood Ceviche**, el máximo protagonismo es para la dopamina, presente en el marisco y el bacalao, un neurotransmisor asociado a situaciones y estados placenteros, a la mejora cognitiva, la motivación positiva y el buen humor. Además, la receta también incluye berberechos, unos de los alimentos más ricos en hierro energizante; sardinas en aceite de oliva, magnífica fuente de ácidos grasos omega-3, que combate la tristeza, la falta de energía vital, la ansiedad, y las ideas negras que avocan a la depresión; lechuga, un excelente tranquilizante; aguacate, que suministra grasas de excelente calidad, antioxidantes y magnesio, junto a vitamina B6, necesaria para la correcta metabolización del triptófano, que abunda en el plato principal y el postre.

En el plato principal, **Pavo relleno de espinacas y frutos secos**, el protagonista es la carne de pavo, que junto a los huevos, el pollo y los dátiles del relleno, constituyen buenos aportes de triptófano, aminoácido esencial que promueve la liberación de la serotonina, neurotransmisor implicado, entre otros beneficios, en el bienestar psicológico y el placer, y cuya absorción se potencia por el significativo caudal de vitamina B6, presente, además de por lo antedicho en el entrante, en las patatas asadas y el jamón serrano del acompañamiento, en el magro de cerdo del relleno y los pistachos de la salsa. A ello se añade el aporte de noradrenalina de las espinacas del relleno, un neurotransmisor de la misma familia que la dopamina; el magnesio presente en las avellanas que igualmente forman parte del relleno; y la dopamina del ajo que entra en la preparación de la salsa.

Esa misma dopamina, cuya acción está asociada al goce, el humor, la mejora de la cognición y el refuerzo necesario para realizar ciertas actividades, está presente en la avena, piña y fresas del postre, **Yogur natural con frutas sobre fondo de avena**, lo que unido al aporte de triptófano de la misma avena, el yogur, la leche y el plátano, confiere al bocado un enorme potencial de optimismo y buen humor.

MOOD CEVICHE

ELABORACIÓN

Para 4 Personas

- 50 gr de aguacate
- 50 gr de bacalao
- 50 gr de sardinas
- 25 gr de berberechos
- Marisco al gusto
- 1 cebolla morada mediana
- 3 limas
- 1 bouquet lechuga variada
- Aceite de oliva
- 1 puñado de cilantro
- Sal

Cortamos el marisco y el pescado en trozos medianos tirando a pequeños, para que se puedan introducir con facilidad en la boca.

Cortamos la cebolla en juliana muy fina.

Lo introducimos todo en un bol, y lo aderezamos con el zumo de las limas, añadiendo sal, aceite de oliva, el cilantro bien picado, y se mezcla todo.

Se deja macerar todo, por último incorporamos el aguacate para que no se oxide.

Con el bouquet de lechugas se decora el plato.

PAVO RELLENO
CON ESPINACAS Y FRUTOS SECOS

INGREDIENTES

Para 4 Personas

- 1 pavo mediano
- Patatas mini
- Jamón serrano
- Perejil

Para el relleno:

- 2 huevos duros
- 100 gr de carne de pollo
- 200 gr de magro de cerdo
- 1 huevo
- Un chorrito nata líquida
- 4 rebanadas pan de molde
- Un puñado de avellanas
- Un puñado de dátiles
- 100 gr de espinacas

Para la salsa:

- 1 diente de ajo
- 1 cebolla
- 1 puerro
- 1 zanahoria
- Pistachos
- 1 tomate
- 1 hoja de laurel

ELABORACIÓN

El pavo tiene que estar limpio y deshuesado.

Abrir bien las pechugas para poder proceder al relleno.

Picar la carne de pollo y el magro de cerdo, y mezclar con el huevo, la nata y el pan de molde troceado.

Rellenar el pavo con esta mezcla, y añadir los frutos secos, espinacas y un huevo duro cortado a rodajas,

Se enrolla, se envuelve en papel de aluminio, y se introduce en el horno durante 50 minutos a 180ºC, donde previamente se han colocado en la bandeja del horno todos los ingredientes de la salsa cortados en dados (menos los pistachos), con un poco de agua ó vino blanco. Para que estos ingredientes no se quemen se abrirá el horno cada 10 minutos aprox. Si fuese necesario se añadiría más agua o vino.

Transcurrido este tiempo se retirarán todos los ingredientes de la salsa, y se pondrán a reducir durante 40 minutos en una cacerola cubierta de agua.

Añadir el pistacho y pasar todo por el chino.

Se corta el pavo en medallones. Se decora por encima con huevo duro, jamón serrano, pistacho y perejil.

Para la guarnición ponemos las patatas mini, asadas ó cocidas.

YOGUR NATURAL
CON FRUTAS SOBRE FONDO DE AVENA

INGREDIENTES

Para 4 personas

- 4 yogures naturales
- 40 gr de avena
- ½ l de leche
- 1 rama de canela
- 50 gr de azúcar
- 20 gr de piña
- 20 gr de plátano
- 20 gr de fresas

ELABORACIÓN

Para el fondo de avena, poner a cocer medio litro de leche, 40 gr. de avena, una rama de canela y 50 gr. de azúcar durante 5 minutos.

Una vez cocido, se retira la canela, y se deja enfriar.

Una vez frío se pone en un plato, a continuación el yogur, perforando el envase por la parte inferior para que salga entero.

Se pica la fruta y se coloca alrededor.

ROSENDO SALGADO

Cruce y síntesis de dos crisis y sus correspondientes burbujas, los caminos de Rosendo fueron de la cocina a la ingeniería civil y de ésta nuevamente vinieron a la cocina. Nacido en Villanueva del Fresno, en el sur de Badajoz, empezó a trabajar en negocios familiares de hostelería y en los fogones donde se preparaban platos de salmorejo de ternera, caldereta de cordero, cojondongo, zorongollo, cardincha y codornices albardadas, pero la voluntad paterna le alejó de la vocación culinaria y le llevó por derroteros profesionales de especialista en ingeniería de obra subterránea en los que alcanzó reputación y prestigio. En tal punto estaba cuando estalló la crisis con su correspondientes burbujas, y la obra civil se detuvo en seco. Haciendo de la necesidad virtud, el personaje retoma la vocación juvenil y vuelve a los fogones con renovados bríos y dispuesto a dar de comer y de hablar si llegara el caso.

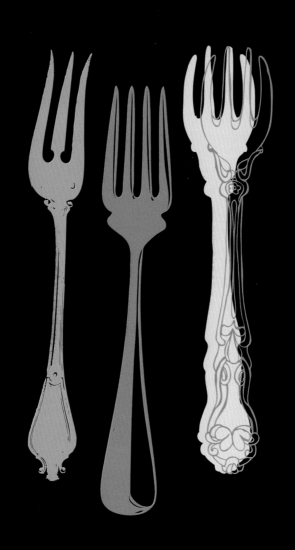

Menú de sobriedad y relativa sencillez, pero con ingredientes *mood food* y un toque de memoria histórica, porque para empezar, sus **Almejas al azafrán** son las mismas que se hacía servir Voltaire en su días de confinamiento en La Bastilla, que una cosa era estar preso y otra renunciar a los placeres de la mesa si el penado podía permitírselo, como era el caso. Pero entrando en materia, hay que decir que el ingrediente esencial del plato, las almejas, son excepcionalmente ricas en vitamina B12, que proporciona energía al organismo, interviene en la síntesis de neurotransmisores, y preserva de daños a la mielina, vaina que protege nervios y terminales neuronales, activando la transmisión de los impulsos nerviosos. Y junto a las almejas, el tomate, que añade un toque de riqueza en fenilalanina, de la que un poco más bajo se hablará en extenso, pero de la que aquí cabe decir que mejora sustancialmente el estado de ánimo.

De su segunda propuesta, **Corzo a la inglesa**, además del recuerdo de la buena cuenta que en su momento diera del mismo Enrique VIII, queda vivo, como en toda carne de caza, un sustancial aporte de hierro, mineral que previene anemias y estados de decaimiento físico y psíquico, al tiempo que actúa de recadero de oxígeno para todo el organismo.

Por último, el postre, **Piña asada en crema de avellanas**, está basado, como su propio nombre indica, en dos productos de primera división *mood food*. De un lado, la piña, es una de las mejores fuentes de fenilalanina, un neurotransmisor que aparecía como apunte en el entrante y que interviene decisivamente en la producción de norepifedrina cerebral, lo que favorece grandemente la positividad en el estado de ánimo y ralentiza la descomposición de las endorfinas, reduciendo sensaciones dolorosas y prolongando el buen humor; y de otro, las avellanas, un fruto seco de gran valor energético, lo que ayuda a afrontar con garantías o a desterrar estados de fatiga mental; fuente generosísima de vitamina E, poderosos antioxidante o antienvejecimiento, que protege las células musculares y frena el deterioro de las membranas celulares del sistema nervioso; y sustancial aporte de magnesio, un mineral antiestresante y freno a los estados de irritabilidad o tensión nerviosa.

ALMEJAS AL AZAFRÁN

- 2 kg de almejas vivas
- 2 tomates
- 4 hebras de azafrán
- ½ vaso de vino blanco
- 1 rama de perejil
- Mantequilla
- Sal al gusto
- Pimienta blanca recién molida

ELABORACIÓN

Se limpian bien las conchas de las almejas y se dejan reposar en agua fría con hielo durante 2 horas. Después se lavan al chorro de agua del grifo y se escurren.

En una sartén de fondo ancho puesta al fuego medio se colocan las almejas, se tapan y se cocinan durante unos 3 minutos hasta que abran. A continuación, se retiran con una espumadera y se reservan.

En el jugo que han dejado las almejas se ponen a cocer los tomates pelados, despepitados y cortados en cuadraditos, seguidamente se echa el vino y luego las hebras de azafrán previamente disueltas en agua caliente. Se deja hervir un poco y se le añade la mantequilla cortada en dados y el perejil finamente picado.

Cuando esté hecho, se salpimienta y se agregan las almejas, dejándolo todo cocinar brevemente, para servir a continuación.

CORZO A LA INGLESA

INGREDIENTES

- 1 pierna de corzo
- 3 cucharadas de manteca
- 3 cucharadas de brandy
- ½ vaso de agua
- 1 kilo de masa de hojaldre
- 1 yema de huevo

ELABORACIÓN

Se sazona la pieza de carne, se le hacen unas incisiones en la parte más gruesa y se coloca en una cazuela de barro. Sobre la pierna se vierte el brandy y se deja macerar unas doce horas.

En otra cazuela de barro se pone la manteca y el agua. Se calienta la mezcla hasta que ligue. A continuación se escurre la carne que ha estado en maceración y se embadurna con la mezcla.

Se precalienta el horno hasta los 200°C y se introduce la cazuela, durante unos 10 minutos a fuego alto. Después se baja la temperatura del horno hasta los 180°C y se va regado la carne con su propio jugo y con algo del líquido de la maceración.

Cuando esté echa, se saca la carne, de escurre y se deshuesa.

Sobre la mesa se extiende la masa de hojaldre y se afila con el rodillo. Cuando esté lista se envuelve en ella la carne de la pierna de corzo. Se humedecen los bordes de la pasta y se cierra, procurando que adopte la forma de pierna. Se le hacen dos huecos a la pasta para que respire y con la yema de huevo batida se pinta la envoltura.

Se coloca en una bandeja de hornear y se introduce en el horno a una temperatura de 200°C hasta que dore. Cuando esté hecho, se saca y se sirve con una salsa de grosellas.

PIÑA ASADA
CON CREMA DE AVELLANAS

INGREDIENTES

- 1 piña
- ½ taza de crema de avellanas
- 1 cucharada de crema de leche
- 100 gr de queso tipo philadelphia
- 100 gr de avellanas tostadas

ELABORACIÓN

Se pela la piña y se corta en rodajas de un centímetro de grosor, a las que se le quita el corazón. Luego se ponen sobre una plancha de asar y se marcan ligeramente.

A continuación, se mezcla la crema de avellana con la crema de leche y se calienta en el microondas durante un minuto.

Las rodajas de piña asadas se colocan en una fuente y se vierte sobre ellas la crema de avellanas.

Finalmente se vierte el queso ligeramente fundido y se espolvorea con las avellanas tostadas y picadas, decorando con alguna avellana entera con cáscara.

MARIO SANDOVAL

Criado y ensolerado en el madrileño pueblo de Humanes y en los arcanos de la cocina por su abuelo, de nombre Coque, que es como se nomina desde hace mucho su restaurante afamado y al que conducen, entre otras rutas, la estelar y fulgente Michelín, y por su madre, ilustre guisandera, muy pronto, y atrás un frustrado pase por la universidad, decidió dar el salto a la Escuela Superior de Hostelería de Madrid y luego a deambular iniciáticamente por restaurantes de pompa y circunstancia como *Jockey*, *Zalacaín*, *Akelarre* o el *Racó de Can Fabes*, y a sublimar lo aprendido a la vera de magísteres como Juan Mari Arzak, Martín Berasategui o Ferran Adrià. En 2003 fue primer premio del Certamen Nacional de Gastronomía y un año después campeón de Cocina de España. La suerte estaba echada y desde entonces su cocina cada vez es más elegante, sensitiva, pulcra, creativa, armoniosa y en sugerente equilibrio entre la tradición acrisolada y la más rabiosa vanguardia.

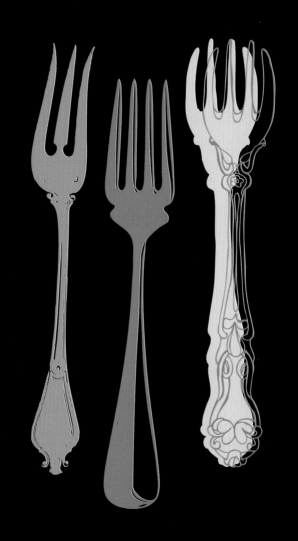

Algo hay en este menú que sobrevuela a partes iguales por los territorios de la voluntad *mood food* y el homenaje a los orígenes identitarios. Simples claves de enigma cálido y filial que empiezan a deslizarse por entre una **Sopa de almendras con foie, cerezas y perlas de palo cortao**, en la que toman protagonismo las almendras, soplo de energía en caso de decaimiento y fuente de vitamina B1; B3; ácido pantoténico; y ácido fólico, que en su conjunto actúan como equilibradoras del sistema nervioso central, apuntan optimismo y abren senderos de buen humor; en fenilalanina, que favorece los estados de ánimo positivos; y de magnesio, mineral que, participa en el metobolismo energético y en la transmisión del impulso nervioso, lo que ayuda a reducir el estrés y a mejorar el estado de ánimo. En otro renglón, las cerezas, que contienen analgésicos naturales, son precursoras de la melatonina y muy ricas en antocianos, ácido elágico, y vitamina C, de potente acción antioxidante o antienvejecimiento, y en fibra, que previene o mejora el estreñimiento, promoviendo el mejor humor. Completan el optimista panorama las gotas de palo cortao, fuente de aje y antídoto contra el malaje.

El principal de la terna, **Cochinillo lacado**, como el ciprés de Diego, mástil de soledad, prodigio isleño, flecha de fe, saeta de esperanza, es una excelente fuente, surtidor de sombra y sueño, de triptófano, aminoácido encargado de liberar serotonina, neurotransmisor cerebral directamente involucrado en el confort, la regulación del sueño, el bienestar psicológico, y el placer.

Como remate, **Migas chocolateadas con frambuesa liofilizada y helado de yogur**, donde aparece el yogur, prebiótico que equilibra la flora bacteriana del intestino y a potenciar el sistema de defensas contra infecciones y otras enfermedades que suelen ser motivo de irritabilidad y mal humor, al tiempo que aporta proteínas de alto valor biológico; las nueces, ricas en omega-3, que mantienen en forma el sistema nervioso y protegen la mielina; en ácido fólico, que equilibra la química cerebral, eleva los niveles de serotonina y dopamina, induciendo placer, calma y bienestar; y el polvo de cacao, fuente de teobromina, alcaloide que estimula el sistema nervioso central y la producción de serotonina.

SOPA DE ALMENDRA
CON FOIE, CEREZAS Y PERLAS DE PALO CORTAO

INGREDIENTES

Para la sopa de almendra:

- 1 kg de almendra tierna
- 1 dl de aceite de oliva virgen extra
- Vinagre de jerez
- 1 ajo
- 1 dl de nata
- Sal

Para el foie de pato:

- Foie de pato extra
- Sal Maldón

Para las perlas de palo cortado:

- 200 gr de vino palo cortao
- 2 gr de Agar-agar
- 500 gr de aceite de girasol

Para el candí licor

- 250 gr de azúcar
- 85 gr de agua
- 100 gr de licor de cereza
- 2 kg de almidón de trigo

Para la cereza:

- 500 gr de cerezas con rabo
- 250 gr de foie lóbulo pequeño desvenado
- Pedro Ximénez
- Vermut
- Oporto
- Sal
- Pimienta blanca

Para el baño de la cereza:

- 500 gr de pulpa de cereza
- 20 gr de gelatina vegetal

ELABORACIÓN

Para la sopa de almendra:

Escaldamos las almendras en agua, escurrimos y enfriamos con hielo y agua, las pelamos y las introducimos en el vaso de la Termomix, le añadimos el aceite, el vinagre y el ajo, lo emulsionamos en la Termomix durante 6 minutos, tienen que quedar como una pasta de almendra muy fina. A esto lo llamamos "masa madre". La conservamos en la nevera hasta su utilización, que será cuando le añadamos la nata y un poco de agua para aligerarla. Al conjunto lo ponemos a punto de sal y servimos en una jarra.

Para el foie de pato:

Separamos los dos lóbulos de foie, el pequeño del grande, le quitamos la hiel y las venas principales la parte pequeña la guardamos para hacer micuit (ya que solo vamos a utilizar el lóbulo grande).

Sazonamos el lóbulo y lo metemos en una bolsa de vacío. Aparte ponemos un cazo con agua hirviendo, introducimos el foie y apagamos el fuego, dejamos el foie dentro del cazo hasta que alcance una temperatura de 40°C. Lo conservamos en la nevera durante 12h, después lo sacamos de la bolsa de vacío, lo cortamos en láminas de 3 cm y lo marcamos en la plancha por los dos lados.

Terminamos con un poco de sal maldón.

Para las perlas de palo cortao:

Ponemos en un bol de cristal grande hielo pile y un poco de agua. Dentro del bol colocamos otro bol mediano como si hiciéramos un baño María frío, en el bol mediano ponemos el aceite vegetal para que se enfríe. Aparte en un cazo ponemos el vino y el agar-agar dejamos que rompa a hervir, lo retiramos y con una pipeta vamos poniendo pequeñas gotas del vino con la gelatina dentro del aceite vegetal, con la ayuda de una cuchara de esferas perforada vamos moviendo el aceite para que no se junten las gotas, dejamos unos 3 segundos y escurrimos el aceite en un colador fino, lavamos con agua fría todas las perlas y reservamos en un recipiente con un poco de vino palo cortado para que cojan mas sabor.

Para el Candí:

Ponemos el azúcar con el agua en un cazo y lo dejamos cocer hasta alcanzar 110°C, se retira del fuego y se añade el licor, tapamos con un papel film y dejamos infusionar durante 15 minutos. Lo pasamos de un cazo a otro una siete veces para que se cristalicen lo azúcares. Lo dejamos en un biberón y lo dejamos reposar un día.

Aparte en una bandeja honda ponemos el almidón y lo dejamos secar en ella a 60° durante 20 minutos.

Con la ayuda de un palo redondo de 1 cm de diámetro hacemos las concavidades en el almidón y con el biberón que habíamos reservado, vamos rellenando todos los huecos para tapar el candí. Cogemos un poco de almidón en un cedazo y lo espolvoreamos por encima dejando una capa fina de almidón para que se pueda realizar el candí, lo dejamos la mesa caliente a 40° durante 24h. Pasado este tiempo, con la ayuda de una brocha vamos sacando los caramelos líquidos que hemos realizado con el almidón y el licor.

Para la cereza:

Cortamos la cereza por la parte de abajo en forma de cruz, sacamos el hueso. Introducimos la mousse de foie en el vaso de la Termomix con los licores, sal y pimienta y lo emulsionamos. Lo metemos en una manga pastelera, rellenamos con la mousse de foie, introducimos el candí y cerramos la cereza. La pasamos por el baño de gelatina que tenemos con la pulpa y la gelatina vegetal que hemos hecho anteriormente y sellamos la cereza con este baño.

Montaje:

Ponemos en el centro del plato el foie marcado, encima la cereza rellena y en forma de cruz las medias cerezas deshuesadas con las perlas de palo cortao y servimos la sopa fría en jarra en la sala.

COCHINILLO
LECHÓN LACADO EN HORNO
ANTIGUO DE LEÑA

INGREDIENTES

- 1 cochinillo (4 kg aprox.)
- 20 gr de sal
- 5 gr de pimienta negra molida
- 30 ml de aceite de oliva
  virgen extra
- 15 ml de vinagre
  de vino blanco

ELABORACIÓN

Cogemos 1 cochinillo lechón y lo descoyuntamos los cuartos traseros y los cuartos delanteros y después también la espina dorsal.

Le quitamos las patas.

Aderezamos la parte de la piel con aceite y sal. Le damos la vuelta y aderezamos la parte interior con aceite, sal, pimienta y vinagre.

Lo colocamos en esta posición en una bandeja con parrilla para que cuando se esté asando, caiga la grasa y no esté en contacto con la piel.

Introducimos al horno de leña 1 hora y 45 minutos aproximadamente a una temperatura de 220°C con el tiro del vapor abierto. Una vez transcurrido este tiempo le damos la vuelta y lo metemos 30 o 45 minutos aproximadamente.

La piel quedará crujiente, ya que el cochinillo habrá soltado toda la grasa.

Cortaremos el cochinillo crujiente del tamaño deseado y lo colocaremos en el plato.

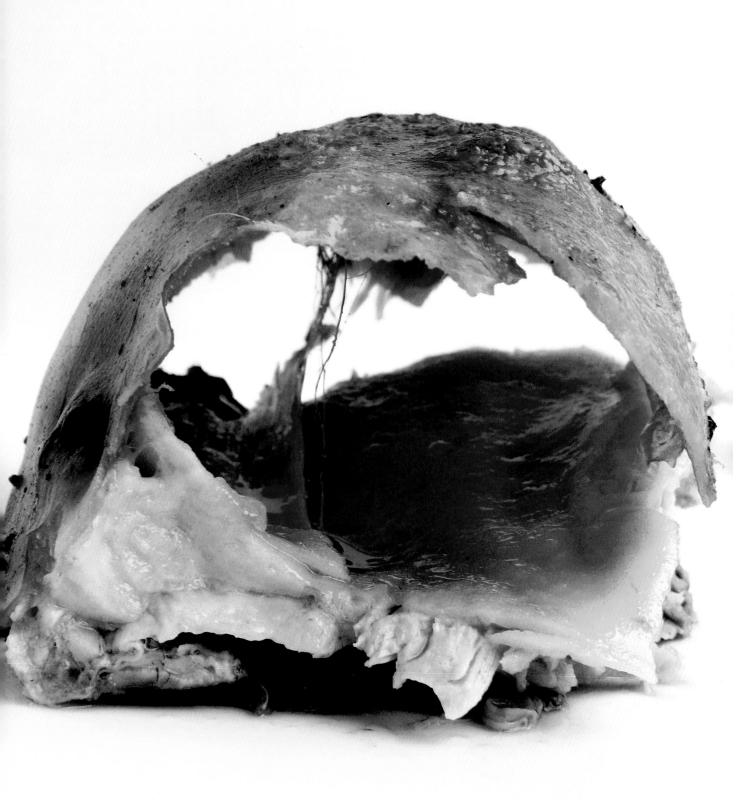

MIGAS CHOCOLATEADAS
CON FRAMBUESA LIOFILIZADA Y HELADO DE YOGUR

Para las migas:

- 0,2 kg de pasta de nueces cruda
- 0,2 kg de harina de trigo
- 0,2 kg de de azúcar moreno
- 0,2 kg de Mantequilla de R. Picot
- 0,015 kg de cacao en polvo extra

Para la espuma de leche:

- 0,250 l de leche entera Bot 1.5l
- 0,150 kg de azúcar blanco
- 0,5 kg de leche condensada
- 0,250 l de nata Corman 35.1%
- 0,016 kg de gelatina neutra

Para las frambuesas:

- 0,015 kg de frambuesa liofilizada

Para el helado de yogurt:

- 0,015 kg de yogurt liofilizado
- 0,350 l de leche entera Bot. 1.5l
- 0,200 l de nata Corman 35.1%
- 0,150 kg de azúcar blanco
- 0,030 kg de estabilizante súper

ELABORACIÓN

Para las migas:

Se mezclan todos los ingredientes y se baten en la batidora durante 3 minutos, la masa obtenida se pone en una bandeja en un silpat y se hornea a 200°C durante 10 minutos. Una vez sacado del horno se deja enfriar y se desmiga toda la masa obtenida.

Para la espuma de leche:

Se calienta la leche en un cazo con azúcar, la leche condensada y la nata, se lleva a ebullición y se incorporan las hojas de gelatina previamente hidratadas, se mete la mezcla dentro del sifón y se le incorporan dos cargas de gas, se deja enfriar durante 2 horas, agitando bien previamente antes de utilizarlo.

Para las frambuesas:

Se pone la fruta en una máquina deshidratadora durante 24 h. Una vez obtenida dicha deshidratación se tritura en la thermomix a máxima velocidad para obtener el polvo de frambuesa.

Para el helado de yogurt:

Se pone a calentar la leche, la nata a 30°C y se le añade el estabilizante, se incorpora el yogurt y el azúcar, y se turbina en la thermomix. Se va incorporando la mezcla a vasos de pacojet manteniéndolos a -20°C.

Montaje:

Disponer en el centro de un plato hondo las migas chocolateadas, en la parte trasera la espuma de leche y en la parte delantera dos cucharadas pequeñas de frambuesa liofilizada y dos de yogurt. En el centro de los dos montones disponer una quenelle de helado de yogurt. Adornar con un pañuelo de chocolate.

MARÍA JOSÉ SAN ROMÁN

Sólidamente formada, en 1997 inauguraba en Alicante el restaurante *Monastrell*, un templo coquinario donde su infinita curiosidad, enorme capacidad de aprendizaje, respeto al producto de temporada y a la producción biológica, interés por la tradición agroalimentaria local, y constante empuje creativo, han devenido en una cocina originalísima, personal, rigurosa y gastrosófica, en la que no hay resquicio para el artificio o la banalidad. Tras catar e investigar a conciencia, es referente en el uso y disfrute del aceite de oliva extra virgen y prepara sus menús en sensorial y oleico intramaridaje. Con el tomate, cercenando el tópico de la insulsez, ha formado su propio semillero y cultivando variedades que activan la memoria del paladar. En cuanto al azafrán, lo ha contemporanizado, diluyendo para lograr determinar la dosificación precisa, texturizando luego, y alcanzando finalmente la más alta cima organoléptica.

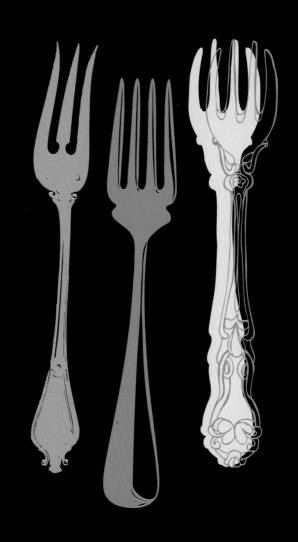

En su calidad de pionera en la historia mundial de la dosificación precisa del azafrán, no es casual que su propuesta sea profusa en el uso de esta especia obtenida de los estigmas secos de la flor del *Crocus sativus*, a la que tradicionalmente se le han atribuido propiedades antisépticas, carminativas y tónico-hepáticas, y que en algunas ocasiones y lugares se ha usado para tratar la histeria.

En entrante, **Berberechos con alcachofas en zumo de naranja, azafrán y piñones**, además de la especia, incluye berberechos, uno de los alimentos más ricos en hierro de tipo hemo de gran calidad y potenciado en su asimilación por el medio ácido y la vitamina C que le proporciona el zumo de naranja; y alcachofas, uno de los mejores tónicos hepáticos, lo que aleja malos humores, rica en vitamina B1, que interviene en la transformación de los alimentos en energía, por lo que su ingesta es fundamental para evitar estados de decaimiento y desánimo, al tiempo que representa un papel protagonista en la absorción de glucosa por parte del cerebro, mejorando estados de irritabilidad, ansiedad, cansancio intelectual, y depresión.

El principal de la terna, **Milhojas de quesos con calabaza, azafrán y aire de salvia y espinacas**, tiene como ingredientes los quesos, requesón y parmesano, que aportan proteínas reconstructoras de alto valor biológico, y fósforo, mineral que forma parte de los fosfolípidos que ayudan a las neuronas a comunicarse entre sí y a mejorar el rendimiento intelectual, la concentración y la memoria; la calabaza, genererosísima en betacarotenos, antioxidantes y precursores de la vitamina A, responsable entre otras importantes funciones de mantener la salud de las mucosas, primera línea de defensa frente a infecciones; y espinacas en la emulsión, alimentos estrella del *mood food* por su contendido en triptófano y tirosina, aminoácido asociado al placer y la felicidad.

Por último, el postre, **Crujiente de plátano con toffe de azafrán**, representa un sustancial aporte de triptófano, aminoácido esencial, cuya principal función consiste en promover la liberación del neurotransmisor serotonina, directamente involucrado en el confort espiritual, la regulación y mejor calidad del sueño, el bienestar psicológico, el placer y el buen humor.

BERBERECHOS
CON ALCACHOFAS EN ZUMO DE NARANJA, AZAFRÁN Y PIÑONES

INGREDIENTES

- 9 alcachofas
- 1 diente de ajo
- 10 ml de aceite de oliva virgen extra
- 2 gr de pimienta de Jamaica
- 10 gr de perejil (hojas)
- 16 piñones
- 10 ml de infusión de azafrán
- 200 ml de zumo de naranja

Para los berberechos:
- 24 u berberechos

ELABORACIÓN

Limpiar las alcachofas y dejar sólo los corazones sumergidos en una mezcla de agua con aceite para evitar la oxidación mientras se van limpiando todas las alcachofas. Una vez limpias, mezclarlas con el resto de ingredientes y cocinar en bolsa de vacío al baño maría durante 45 minutos a 100ºC. Después de la cocción, enfriar con hielo.

Escurrir las alcachofas y reservar.

Emulsionar el caldo de cocción con unas varillas.

Para los berberechos:

Cocer al vapor los berberechos hasta que se abran.

Acabado y presentación:

Cortar los corazones de las alcachofas en láminas de 5 mm de grosor y disponer en el fondo del plato.

Mojar con el caldo de su cocción y colocar los berberechos sin la concha.

MILHOJAS DE QUESOS
CON CALABAZA, AZAFRÁN
Y AIRE DE SALVIA Y ESPINACAS

INGREDIENTES

- 300 gr de calabaza
- 100 gr requesón
- 50 gr de queso parmesano
- 1 huevo
- 50 ml de nata líquida
- 25 ml de agua de azafrán
- 4 hojas de pasta filo
- 125 gr de yogur
- 125 ml natural de leche
- c.s. de sal
- c.s. de pimienta blanca molida

Para la emulsión de salvia:

- 10 gr de hojas de salvia y espinacas mitad de cada
- 60 gr de mantequilla
- 200 ml de caldo de pollo
- 10 gr de lecitina de soja

ELABORACIÓN

Cortar la calabaza en el cortafiambres al número 1. Mezclar los dos quesos con el huevo, la nata y el agua de azafrán. Preparar un molde rectangular de 8 x 16 cm y unos 8 cm de altura. Poner el molde sobre una placa de horno, un molde de silicona o papel de cocción. Cortar las hojas de pasta filo al tamaño del molde y disponer una hoja de pasta en el fondo del molde. Aplicar una capa fina de la mezcla de quesos con un pincel y luego una capa de calabaza. Repetir con otra capa de quesos, otra capa de pasta y así sucesivamente hasta llenar el molde a una altura de unos 4 cm. Terminar con pasta siempre. Batir el yogur, la leche, la sal y la pimienta. Una vez batido, mojar los moldes con el milhojas. Hornear a 170ºC durante 35 minutos.

Dejar enfriar antes de cortar porciones de los milhojas.

Para la emulsión de salvia:

Blanquear las hojas de salvia y espinacas en agua hirviendo y enfriar en agua con hielo. Triturar en la Thermomix junto con el caldo, la mantequilla y la lecitina. Después batir con la batidora de mano hasta obtener espuma.

Acabado y presentación:

Cortar rectángulos del milhojas de 2x8 cm. Volver a calentar en el horno durante 3 minutos a 160ºC. Aplicar unos 50 ml de emulsión de salvia sobre la ración de milhojas, bien batida con espuma y procurando que nos quede el aire por encima.

CRUJIENTE
DE PLÁTANO CON TOFFEE DE AZAFRÁN

INGREDIENTES

Para la mousse de plátano:

- 200 gr de plátanos canarios maduros
- 4 u de gelatina en hojas
- 10 ml de zumo de limón
- 15 ml de zumo de naranja
- 100 gr de azúcar
- 200 ml de nata líquida

Para la pasta crujiente:

- 50 gr de mantequilla
- 2 hojas de pasta filo
- Azúcar de azafrán

Para la menta crujiente:

- 10 gr de azúcar
- 5 gr de hojas de menta fresca

Para el toffee de azafrán:

- 50 g de azúcar de azafrán
- 100 ml de nata líquida

Otros ingredientes:

- c.s. de plátanos de Canarias

ELABORACIÓN

Montar la nata. Triturar los plátanos con el azúcar y el zumo de limón. Calentar el zumo de naranja y disolver la gelatina previamente hidratada. Añadir a la mezcla anterior. Disponer el conjunto en un bol y agregar la nata montada fría. Homogeneizar. Rellenar un molde rectangular.

Para la pasta crujiente:

Cortar la pasta en rectángulos de 5x14 cm y espolvorear con azúcar. Tapar con papel de hornear y colocar encima otra placa para hacer presión. Hornear durante 15 minutos a 180°C.

Para la menta crujiente:

Blanquear las hojas de menta, secarlas bien y mezclarlas con el azúcar. Dejar secar sobre una placa en estufa a 35°C durante 12 horas.

Cortar las hojas en juliana fina.

Para el toffee de azafrán:

Hacer un caramelo rubio con el azúcar. Añadir la nata y cocinar hasta que se disuelva el caramelo y quede una textura espesa.

Acabado y presentación:

Poner unas gotas de toffee en el plato para que no se mueva el milhojas. Montar una capa de pasta crujiente y otra de mousse de plátano, y repetir 2 veces esta operación. Añadir rodajas de plátano crudo cortado en rodajas de 2 mm de grosor hasta cubrir la capa de arriba del milhojas. Decorar con unos hilos cruzados de toffee de azafrán y las hojas de menta crujientes.

MIKEL SANTAMARÍA

Portaestandarte de la miniaturización de la alta cocina donostiarra, creador de tendencias renovadoras en banderillas y tapas, y artífice de la puesta al día del pincho local, se formó a la limón entre la Escuela de Hostelería de San Sebastián y los locales familiares *Aloña Mendi* y *Oñaz*. Fundador, con su hermano Jesús y el pastelero José María Picabea, del grupo hostelero *Bokado*, sus servicios se rodean de creatividades culinaria y escénica. En 2004 inauguró el restaurante *Bokado* en el Museo del Traje de Madrid, una de las instalaciones más relevantes de la restauración madrileña reciente, situada entre elegantes jardines y fuentes rumorosas. Desde 2006 dirige también la cocina del restaurante *Aquarium*, instalado en uno de los emplazamientos más privilegiados de San Sebastián, al pie del Monte Ulía y ante el puerto y bahía de la Concha, al tiempo que gestiona los espacios gastronómicos de los museos *San Telmo* y *Balenciaga*.

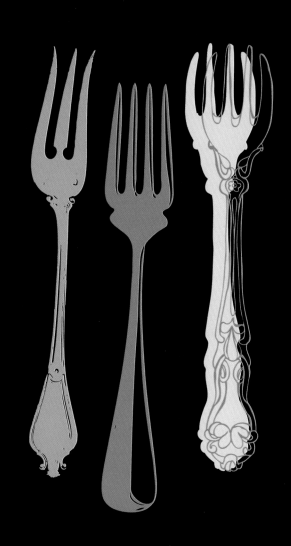

Un menú con sabor donostiarra y estética bonsái, en el que abre un plato, **Langostinos asados y pipas de girasol**, con un marisco rico en fósforo, mineral que ayuda a las neuronas a comunicarse entre sí y hacen que el comensal piense más y mejor, acompañado de pipas de girasol, buena fuente de triptófano, que promueve la liberación de la serotonina, directamente involucrada en la regulación del sueño, el bienestar psicológico, el placer y el buen humor. A ello se añaden los energéticos hidratos de carbono de absorción lenta presentes en el pan integral, y la fenilalanina contenida en el tomate asado, que activa la norepifedrina cerebral, mejorando el estado de ánimo, reduciendo el dolor y prolongando el buen humor.

Sigue una **Caballa y lechuga de mar**, en el que manda un pescado azul, caballa verdel o sarda, sobre el que existe unánime acuerdo respecto a su delicioso sabor, textura y aporte de ácidos grasos omega-3, que mantienen el buen ritmo cerebral, la salud mental, la flexibilidad, buen funcionamiento y correcto mantenimiento de las células neurales, y las conexiones químicas fundamentales con las cadenas de fosfolípidos de la materias cerebrales blanca y gris. A tanto beneficio *mood food* se suma la capsaicina de la guindilla, ese alcaloide volatil que llena la boca de radiantes ardor y calor, ante los que el cerebro reacciona produciendo endorfinas y desatando una cascada de euforia temporal y sensaciones de placer y bienestar.

Cerrando la terna, **Manzanas bronceadas**, a base de tres alimentos de gran potencial euforizante. De un lado, las manzanas son una excepcional fuente de fibra y pectina, que previene y trata el estreñimiento y sus dolencias derivadas en malestar general y pésimo humor; de otro las nueces, magnífica fuente de ácidos graso omega-3, que mantienen en forma el sistema nervioso y protegen la mielina, vaina que recubre los nervios, y de ácido fólico, que equilibra la química cerebral, eleva los niveles de serotonina y dopamina, induciendo placer, calma y bienestar; y finalmente los pistachos, muy ricos en fibra, que aleja el peligro de estreñimiento y en vitaminas de grupo B, fundamentalmente, B1 y B6, que favorecen la correcta asimilación del triptófano y mantienen en forma el sistema nervioso.

LANGOSTINOS
ASADOS Y PIPAS DE GIRASOL

- 16 langostinos frescos
- 100 gr de pipa de girasol pelada
- 100 gr de pan integral
- 200 gr de tomate asado
- 1 dl de aceite de oliva suave
- 2 dl de agua
- Sal
- Maíz suflado
- Perejil picado al gusto

ELABORACIÓN

Se tritura el tomate asado con el agua y el pan bien tostado, se rectifica de sal, se cuela y se reserva.

Seguidamente, se pelan los langostinos, se untan con la mezcla de tomate, se forran de pipas de girasol y se marcan en una sartén a fuego medio.

Finalmente, se colocan en el plato de forma ordenada y se remata con pipas de girasol, maíz suflado, perejil picado y unas gotas de tomate asado.

CABALLA
Y LECHUGA DE MAR

INGREDIENTES

- 600 gr de lomo de caballa limpio y desespinado
- 100 gr de lechuga de mar seca
- 2 guindillas verdes dulces
- Tallos de acelga roja
- Anacardos
- Semillas de sésamo negro
- 0,3 dl de whisky de malta
- 0,2 dl de aceite de oliva virgen suave
- Vinagre de jerez al gusto

ELABORACIÓN

Los lomos de caballa se marinan en whisky durante unos 5 minutos.

A continuación se colocan en una bandeja de horno y se hornean durante 1 minuto a 150° C para que queden poco hechos y se evapore el alcohol.

Se le añade a la bandeja aceite de oliva virgen y vinagre de jerez, y se reserva.

En el momento del emplatado, se forran con lechuga de mar y se marcan en la sartén, vuelta y vuelta.

Se remata con sésamo negro, guindilla salteada, tallos de acelga aliñados y anacardos fritos.

MANZANAS
BRONCEADAS

INGREDIENTES

- 6 manzanas reinetas
- 50 gr de nueces peladas
- 50 gr de pistachos pelados
- Perejil al gusto
- Canela en polvo
- 0.3 dl de calvados
- 100 gr de azúcar de caña
- ½ litro agua
- 30 gr de gelificante vegetal en polvo
- Colorante color bronce al gusto

ELABORACIÓN

Se asan las manzanas al horno, con piel, azúcar de caña y calvados, durante unos 30 minutos y a 170º C.

Después, se tritura la mezcla y se añaden los pistachos, las nueces, la canela en polvo y el perejil.

Se congela en moldes cúbicos y se reserva.

Seguidamente, se hierve el agua con el gelificante vegetal. Se retira del fuego y cuando la temperatura baje a 70º, se añade el colorante al gusto.

A continuación, se bañan las manzanas en la mezcla, se espera a que se descongelen y se procede al emplatado.

Se decoran con trocitos de los mismos frutos secos que se usaron para enriquecer el interior de las manzanas.

ESTELA SAYAR

Licenciada en Derecho, máster en la Escuela de Práctica Jurídica de la Complutense, miembro de la Asociación Española de Abogados de Familia y socia fundadora del despacho jurídico Sayar&Asociados, profesional reputada del acuerdo, el divorcio y el régimen de visitas; a Estela le corroe desde siempre el veneno de la cocina y ha buscado como antídoto el rendirse a la evidencia, de un lado matriculándose en un postgrado de Experto en Técnicas Culinarias de la escuela Superior de Hostelería de Sevilla y de otro participando como comentarista, divulgadora y tertuliana gastronómica del programa *Protagonistas con Goyo*, en ABC Punto Radio. Con todo, ese todo le sabe a poco y recorre afanosa restaurantes, certámenes y conferencias buscando las claves de los arcanos coquinarios y gastrosóficos. Así sea.

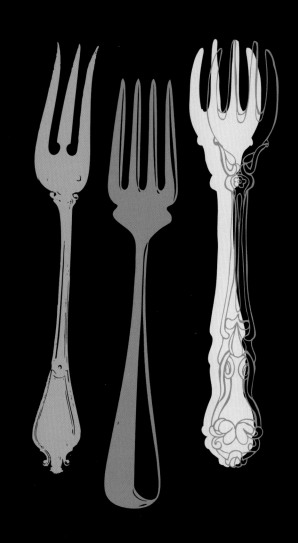

Sencillez, eficacia, color y prudencia en el mismo tono que le daba a sus versos Cervantes cuando además de aceptarse manco intentaba hacerse el cojo: "*No te metas en dibú/ni en saber vivas ajé/que en el que no te va ni te vié/ pasar de largo es cordú*".

Para empezar, una ensalada de fácil preparación, **Mood nazarí**, versión con ligero toque del remojón, en la que se suman las vitaminas del bacalao: B1, que evita decaimientos, desánimos, irritabilidad, ansiedad y depresión; B6, que favorece la correcta asimilación del triptófano y mantiene en forma al sistema nervioso; y ácido fólico, que mejora el estado general de ánimo aumentando los niveles de serotonina cerebral. A lo que hay que añadir el efecto tranquilizante de la lechuga y los positivos efectos de la vitamina C, que es esencial para la correcta asimilación del hierro y para la síntesis de la carnitina, directamente implicada en el proceso de producción de energía celular.

Por lo que se refiere al plato principal, **Brocheta majorera de pollo con champiñón**, sus ingredientes son *mood food* de primera ya que el pollo es una de las mejores fuentes de triptófano, aminoácido esencial que hace que el cerebro libere serotonina, neurotransmisor directamente involucrado en el confort, la regulación del sueño, el bienestar psicológico, y el placer; mientras que los champiñones constituyen una buena fuente de vitaminas B2 y B3, que contribuyen a mantener en forma el sistema nervioso; y de zinc, mineral que actúa como calmante, al tiempo que regula varias funciones psicológicas y cognitivas.

Punto final en una **Copa griega con fruta y colores,** que allega yogur, prebiótico cuyas bacterias vivas contribuyen a equilibrar la flora bacteriana intestinal y a mejorar el sistema de defensas contra infecciones y otras enfermedades que suelen ser motivo de irritabilidad y mal humor; y fresas y/o frambuesas, magnífica buena fuente de vitamina C, de acción antioxidante o antienvejecimiento; de fibra, que evita el estreñimiento y sus secuelas de malhumor; en salicilatos, analgésicos naturales; y en ácido fólico, que equilibra la química del cerebro y eleva los niveles de serotonina y dopamina, neurotrasmisores relacionados con el placer, el bienestar psicológico, y el buen humor.

MOOD NAZARÍ
"ENSALADA REMOJÓN"

- 200 gr de bacalao ahumado
- Lechugas variadas
- Media cebolla roja
- Ocho huevos de codorniz
- Cilantro fresco
- Cuatro gajos de naranja o pomelo
- Aceite de oliva virgen extra
- Sal c/s

ELABORACIÓN

Cocer los huevos de codorniz en agua hirviendo con sal durante 6 minutos y enfriar.

Disponer en cuatro cuencos la lechuga, 50 gr de bacalao ahumado en cada uno, dos huevos de codorniz por cuenco, cebolla roja en juliana, un gajo de naranja o pomelo, unas hojitas de cilantro fresco y aliñar.

BROCHETA MAJORERA
DE POLLO CON CHAMPIÑÓN

INGREDIENTES

- Dos pechugas de pollo cortadas en dados
- 200 gr de champiñones
- 1 ajo
- Dos cucharadas soperas de pimentón de la vera
- Una cucharada sopera de pimentón picante
- Una cucharada pequeña (postre) de comino molido
- Pimienta y sal
- Aceite de oliva virgen extra
- Perejil

ELABORACIÓN

Preparar un majado en mortero o robot con el ajo, el pimentón dulce y picante, el comino, cuatro o cinco cucharadas soperas de aceite, la pimienta y una pizca de sal y macerar los dados de pechuga de pollo durante dos horas.

Disponer el pollo en brochetas y dorar en la plancha.

Saltear los champiñones con ajo y perejil.

Disponer en un plato una cuarta parte del champiñón y dos brochetas por persona.

COPA GRIEGA
CON FRUTA Y COLORES

- Cuatro yogures griegos azucarados
- Dos plátanos
- Ocho fresas o frambuesas
- Fideos de colores
- Cuatro copas de Martini

ELABORACIÓN

Disponer en cada una de las cuatro copas de Martini, por capas: dos fresas o frambuesas en dados, medio yogur, medio plátano en dados, el otro medio yogur y decorar con fideos de colores o almendras ralladas, o cereales.

IÑIGO PÉREZ "URRECHU"

Cocinero mediático por excelencia, su risa fresca, pronta y fácil, su carácter exultante y un dinamismo arrollador, nada tienen que ver con el narcisismo afectado de algunos otros de sus colegas, sino que es la expresión gozosa de una pasión sin límites por la cocina y por el plato, por el encuentro y el debate con todo el que comparte esa misma pasión y por el placer del generoso yantar. Archivo de la cortesía y correspondencia grata de firmes amistades, en lo curricular, se formó con Martín Berasategui y con Didier Oudill, fue jefe de cocina en el *Obia de Orio* y a finales de 1993 llegó *El Amparo* madrileño para dar el giro definitivo a su carrera, que culminaría con la creación de su propio restaurante y su empresa gastronómica *Gastromedia*, y que ahora continúa y desarrolla en distintos programas televisivos y radiofónicos de varias cadenas y en los dos restaurantes de Madrid, *El Fogón de Zeín* y *Urrechu*, de los que es propietario y chef.

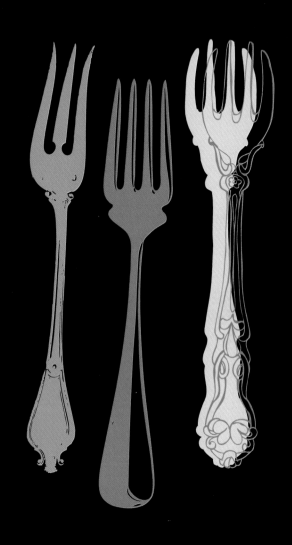

Comienza la propuesta de Urrechu, con una **Ensalada de bogavante con vinagreta de coral**, donde el protagonismo como en el mal llamado *Teléfono langosta* de Salvador Dalí, lo ostenta el bogavante, abacanto, lubricante o bugre, crustáceo decápodo marino muy rico en vitamina B3, que interviene en la producción de energía a partir de los glúcidos e hidratos de carbono, relaja los vasos sanguíneos y mantiene en buen estado el sistema nervioso; y en magnesio, antidepresivo natural, que participa en la transmisión de los impulsos nerviosos y cuya deficiencia se refleja por la aparición de calambres y debilidad muscular.

En el plato de referencia, **Estofado de cigalas con vieiras y gallo de corral**, de un lado el marisco y el gallo aportan triptófano, aminoácido que libera serotonina, neurotransmisor que induce bienestar psicológico y placer, y de otro, las lentejas son fuente de hierro que proporciona energía y oxigena el organismo; de magnesio, que mejora los estados de irritabilidad y de tensión nerviosa; fenilalanina, neurotransmisor que favorece la positividad de ánimo, ralentiza la descomposición de las endorfinas y mejora el humor; vitamina B1, que potencia los efectos de la acetilcolina, responsable de la buena memoria y freno a la irritabilidad; y de vitamina B6, que refuerza la rapidez del pensamiento, al tiempo que mitiga el dolor y mal humor premenstruales.

En cuanto al postre y fin de fiesta, **Bombón almendrado con crema helada de leche**, uno de sus componentes, el praliné, que como es sabido mezcla almendras y avellanas, aporta cualidades *mood food* de ambos alimentos, de manera que, en conjunto energéticas y recomendadas para hacer frente a situaciones de desgaste, las primeras aportan fenilalanina que favorece los estados de ánimo positivos y ayuda a prolongar el buen humor, son muy ricas en vitaminas del grupo B, especialmente de B1, B3, B5, B6, y ácido fólico, que en su conjunto actúan como equilibradoras de sistema nervioso central, y en magnesio, mineral que contribuye a reducir el estrés y mejorar el estado de ánimo, mientras que las segundas también allegan magnesio y vitamina E, poderoso antioxidante, que protege las células musculares y frena el deterioro de las membranas celulares del sistema nervioso.

ENSALADA
DE BOGAVANTE Y VINAGRETA
DE CORAL

- 2 bogavantes de ½ kg cada uno
- Lechugas variadas

Para la vinagreta:

- 3 c/s de vinagre de Módena
- Sal
- 125 gr de aceite de oliva 0,4

ELABORACIÓN

Lo cocemos durante unos 4 minutos en agua hirviendo con sal, como si fuera agua de mar.

Lo dejamos enfriar y los pelamos. El coral de las cabezas, toda la parte de dentro, lo guardamos para hacer una vinagreta.

Para la vinagreta de coral:

Cogemos todo el coral que tengamos de los bogavantes y su agua. Lo cocemos en su agua ½ minuto y en templado, lo montamos como si de una mahonesa se tratase, junto con el vinagre de Módena, sal y el aceite de oliva.

Acabado del plato:

Colocamos las lechugas bien limpias y troceadas en un molde y seguido colocamos encima el bogavante fileteado.

Todo esto lo napamos con la vinagreta de coral.

ESTOFADO
DE CIGALAS CON VIEIRAS Y GALLO DE CORRAL

INGREDIENTES

Para el gallo de corral guisado con vino blanco:

- Un gallo de corral
- Una cebolla
- Dos dientes de ajo
- 1 pimiento verde
- 1 pimiento rojo
- 1 l de caldo de carne
- 1 l americana
- 250 ml de vino blanco
- Lenteja pardina
- Sal
- Pimienta
- Aceite de oliva

Para la base de cigalas y vieiras:

- Jamón picadito
- Ajete fresco
- Patata confitada en daditos
- 2 cigalas
- 1 vieira
- Martini blanco

ELABORACIÓN

Para el gallo de corral guisado con vino blanco:

Limpiamos el gallo de plumas y exceso de grasas y lo troceamos. Salpimentamos y la freímos en aceite de oliva. Pelamos la cebolla, los pimientos y los ajos, los picamos y añadimos al gallo. Lo sofreímos todo junto, añadimos el vino blanco y las lentejas. Dejamos evaporar el alcohol y cubrimos con caldo y americana.

Lo dejamos que hierva a fuego muy muy suave hasta que esté cocinado, no puede estar duro.

El gallo suele tener bastante grasa, es precisamente en la piel donde se concentra la mayor parte de ella, por lo que con quitarla antes de comer, "problema" solucionado.

Una vez terminada la cocción, se retiran las verduras y la lenteja pardina se reserva.

Para la base de cigalas y vieiras:

En una sartén, salteamos a fuego vivo el jamón, ajete fresco y patata confitada, cuando tiene algo de color, añadimos las cigalas, la vieira y el Martini.

Reservamos y que no se seque, color, pero crudo.

Acabado del plato:

Calentamos la porción de gallo de Corral en su propio jugo.

En la sartén que hemos salteado la base de cigalas, añadimos una cucharada de lentejas y vamos añadiendo caldo de cocción del gallo.

En un plato sopero, colocaremos las cigalas, vieiras y encima colocaremos la porción de gallo con ESTILO, napamos todo con la salsa, refinada y bien rica y decoraremos con hierbas txulas.

BOMBÓN
ALMENDRADO CON CREMA HELADA DE LECHE

INGREDIENTES

- 300 gr de praline
- 400 gr de nata montada
- 4 gelatinas
- 125 gr de sirope
- Almendras fritas y troceadas
- 200 gr de cobertura negra
- Sal
- Sirope de menta
- Crema helada de leche

ELABORACIÓN

Calentamos el sirope y el praline, una vez templado, añadimos las gelatinas y dejando enfriar un poco, lo mezclamos con la nata.

Ponemos en un molde.

Freímos las almendras con una pizca de sal y bien escurridas, enfriamos y troceamos en trozos mini.

Una vez frío el molde del Praliné, cortamos en rectángulos y lo rebozamos con la almendra frita, dejamos enfriar y compactar.

Fundimos chocolate y cuando esté fundido, dejamos enfriar un poco, que esté como a unos 28°C y bañamos los rectángulos de praliné.

Reservamos en frío NO CONGELADOR.

Acabado del plato:

En una bandeja colocaremos una pincelada de sirope de menta fresca, encima el rectángulo de praliné y al lado la crema helada de leche.

A MODO DE EPÍLOGO
EL MOOD FOOD
OS HARÁ LIBRES

A estas alturas no es frecuente que un libro contenga un epílogo, entendido éste como un resumen de lo principal que se ha tratado o como oposición al prólogo, porque, de un lado, si se intenta explicar al lector en unas pocas líneas lo que no ha podido llegar a comprender en plenitud en las muchas anteriores, la exposición se reconocería fallida, y de otro colocar al prologuista frente al espejo crítico del autor es una inaceptable desconsideración ante alguien que lógicamente es persona cercana, del todo bienintencionada y con frecuencia buen amigo del mismo, como aquí es el caso.

De manera que mal empezamos y peor habremos de seguir si alguien nos recuerda que la expresión de que algo nos puede hacer libres remite a una experiencia religiosa basada en la fe ciega y a una ironía sádica y cruel donde las hubo en la historia de la humanidad.

En el primer caso, la frase "La verdad os hará libres" hace referencia a la narración contenida en el Evangelio de Juan, 8:32, que quedó definitivamente acuñada como lema entre los siglos IV y V por Agustín de Hipona o San Agustín, uno de los cuatro más importantes Padres de la Iglesia latina, mientras que en el segundo, planteada como "El trabajo os hará libres", remite a la expresión alemana *Arbeit macht frei*, título de una novela del autor nacionalista alemán Lorenz Diefenbach publicada en Viena en 1873, que fue usado como lema colocado en las puertas de entrada a varios campos de concentración nazis, como cínica y repugnante bienvenida a los presos que allí llegaban para su exterminio.

De manera que oír que algo nos va a hacer libres y salir corriendo como alma que lleva el diablo suele ser todo uno.

Pues a pesar de ello y por encima de ello el autor viene en sostener y sostiene que el *mood food* es un camino hacia la felicidad o el buen humor empedrado con alimentos de libertad y tal sostiene porque una vez leyó en algo del dramaturgo francés Henry François Becque que libertad y salud se asemejan en que su verdadero valor se conoce cuando faltan, y porque libertad y salud son entidades que bastantes de las grandes multinacionales farmacéuticas nos ofrecen por liebres cuando no son más que gatos vilmente cazados y mal condimentados.

Dejando la retórica a un lado, lo que el autor quiere decir y dice es que desde hace unas décadas las llamadas *Big Pharma* han hecho todo lo que pueden, y pueden mucho, por poner en el mercado todo un lote de fármacos conocidos como "píldoras de la felicidad", con el objeto aparente de librarnos, de un golpe y a golpe de pastilla, de angustias, inseguridades, temores, fobias, frustraciones y depresiones que son consustanciales a la vida, manipulando y pervirtiendo el viejo paradigma de "enfermedad en busca de medicamento", para convertirlo en un infinitamente más lucrativo "medicamento en busca de enfermedad".

Y lo más grave no es, con ser muy grave, que nos den gato por liebre, sino que en tal ejercicio fullero y trilero han introducido un elemento de riesgo cierto y probado para la salud, que como inevitable consecuencia pone freno y barreras al objetivo último de confort, felicidad y buen humor.

Tal acusación se sostiene en un buen puñado de casos en los que la mala praxis farmacéutica se concreta en lo que en inglés se llama *disease mongering*, que viene a significar el intento fraudulento de convertir procesos naturales de la vida en patologías susceptibles de ser tratadas con fármacos.

De ello son ejemplos el *Paxil*, que *Glaxo Smith&Kline*, tercera farmacéutica del mundo convirtió en antidepresivo juvenil y "píldora de la timidez", ocultando su indicación exclusiva de adultos y sus muchos efectos secundarios, entre los que destacaba la propensión a pensamientos sucidas; la campaña de lanzamiento del *Prozac*, de *Lilly*, en la que de manera pionera el laboratorio no se dirigía a los médicos para aumentar su prescripción, sino a los posibles usuarios, generando unas fabulosas expectativas entre el público, fuera del control de la ciencia y la investigación clínica; o la entrada en escena de *Viagra*, del laboratorio *Pfizer*, precedida de una más que sospechosa campaña mediática en la que de pronto salió a la luz un estudio aún más sospechoso que revelaba que nada menos que un 72% de los norteamericanos de entre 40 a 70 años padecían problemas de disfunción eréctil. Y por si alguien duda de los datos antedichos, sepa que, como muestra un par de botones, en 2009 *Pfizer* aceptó pagar una multa de 1.800 millones de euros por la promoción fraudulenta de 13 medicamentos y que la "broma" del *Paxil* se le ha puesto a *Glaxo Smith&Kline* en la bonita cantidad de 2.400 millones de euros.

Dicho lo antedicho de manera quizá un poco embarullada y confusa, quiere cerrar este epilogo el autor declarando, de manera clara, rotunda y solemne, que consumir productos y cocina *mood food*, es una forma económica, segura, sin efectos secundarios, agradable y sencilla de lograr confort espiritual, felicidad y buen humor, aunque a fuer de riguroso no debe ni puede ocultar que tales pueden crear adicción.